POR QUE GRITAMOS GOLPE?

COLEÇÃO

POR QUE GRITAMOS GOLPE?

Para entender o impeachment e a crise política no Brasil

organização
Ivana Jinkings, Kim Doria e Murilo Cleto

André Singer • Armando Boito Jr. • Ciro Gomes • Djamila Ribeiro
Eduardo Fagnani • Esther Solano • Gilberto Maringoni
Graça Costa • Guilherme Boulos • Jandira Feghali • Juca Ferreira
Laerte Coutinho • Leda Maria Paulani • Lira Alli
Luis Felipe Miguel • Luiz Bernardo Pericás • Marcelo Semer
Márcio Moretto • Marilena Chaui • Marina Amaral • Mauro Lopes
Michael Löwy • Mídia NINJA • Murilo Cleto • Pablo Ortellado
Paulo Arantes • Renan Quinalha • Roberto Requião
Ruy Braga • Tamires Gomes Sampaio • Vítor Guimarães

Copyright desta edição © Boitempo Editorial, 2016

Equipe de realização
Artur Renzo, Ivana Jinkings, Kim Doria, Livia Campos, Luca Jinkings,
Maíra Meyer, Ronaldo Alves e Thaisa Burani

Equipe de apoio
Allan Jones / Ana Yumi Kajiki / Bibiana Leme / Eduardo Marques /
Elaine Ramos / Giselle Porto / Isabella Marcatti / Ivam Oliveira /
Leonardo Fabri / Marlene Baptista / Maurício Barbosa / Renato Soares /
Thaís Barros / Tulio Candiotto

CIP-BRASIL. CATALOGAÇÃO-NA-FONTE
SINDICATO NACIONAL DOS EDITORES DE LIVROS, RJ

P873

Por que gritamos golpe? : para entender o impeachment e a crise política
no Brasil / André Singer...[et. al]; organização Ivana Jinkings, Kim Doria,
Murilo Cleto; [ilustração Laerte Coutinho]. - 1. ed. - São Paulo : Boitempo,
2016.
il.   (Tinta Vermelha)

ISBN 978-85-7559-500-8

1. Ciência política. 2. Rousseff, Dilma, 1947 – Impedimentos. 3. Crise
econômica . I. Singer, André. II. Série.

16-33992   CDD: 320
                                                  CDU: 32

É vedada a reprodução de qualquer parte deste livro
sem a expressa autorização da editora.

1ª edição: julho de 2016
1ª reimpressão: agosto de 2016; 2ª reimpressão: maio de 2017

BOITEMPO EDITORIAL
Jinkings Editores Associados Ltda.
Rua Pereira Leite, 373
05442-000 São Paulo SP
Tel./fax: (11) 3875-7250 / 3875-7285
editor@boitempoeditorial.com.br | www.boitempoeditorial.com.br
www.blogdaboitempo.com.br | www.facebook.com/boitempo
www.twitter.com/editoraboitempo | www.youtube.com/tvboitempo

Sumário

Prólogo – O desmonte do Estado, *Graça Costa*............9

Apresentação – O golpe que tem vergonha de ser chamado de golpe, *Ivana Jinkings*............11

PARTE 1 – OS ANTECEDENTES DO GOLPE

A nova classe trabalhadora brasileira e a ascensão do conservadorismo, *Marilena Chaui*............15

Os atores e o enredo da crise política, *Armando Boito Jr.*............23

A democracia na encruzilhada, *Luis Felipe Miguel*............31

Por que o golpe acontece?, *Ciro Gomes*............39

O triunfo da antipolítica, *Murilo Cleto*............43

Jabuti não sobe em árvore: como o MBL se tornou líder das manifestações pelo impeachment, *Marina Amaral*............49

O fim do lulismo, *Ruy Braga*............55

PARTE 2 – O GOLPE PONTO A PONTO

Da tragédia à farsa: o golpe de 2016 no Brasil, *Michael Löwy*............61

Uma ponte para o abismo, *Leda Maria Paulani*............69

Rumo à direita na política externa, *Gilberto Maringoni*............77

Previdência social: reformar ou destruir?, *Eduardo Fagnani*............85

Para mudar o Brasil, *Roberto Requião*............93

Os semeadores da discórdia: a questão agrária na encruzilhada, *Luiz Bernardo Pericás*............99

Ruptura institucional e desconstrução do modelo democrático:
o papel do Judiciário, *Marcelo Semer* 107

Cultura e resistência, *Juca Ferreira*...... 115

As quatro famílias que decidiram derrubar um governo
democrático, *Mauro Lopes* 119

Avalanche de retrocessos: uma perspectiva feminista negra
sobre o impeachment, *Djamila Ribeiro*...... 127

"Em nome de Deus e da família": um golpe contra a diversidade,
Renan Quinalha 131

Resistir ao golpe, reinventar os caminhos da esquerda,
Guilherme Boulos e *Vítor Guimarães* 139

A luta por uma educação emancipadora e de qualidade,
Tamires Gomes Sampaio...... 145

Parte 3 – O futuro do golpe

Por uma frente ampla, democrática e republicana, *André Singer*...... 151

A ilegitimidade do governo Temer, *Jandira Feghali*...... 157

Uma sociedade polarizada?,
Pablo Ortellado, Esther Solano e *Márcio Moretto* 159

É golpe e estamos em luta!, *Lira Alli*...... 165

Sobre os autores...... 171

1964, 2016. Primeiro como tragédia, depois como farsa? Quem não se lembrou do *18 de brumário*? É bom, no entanto, esfregar os olhos. Como Marcuse, ao corrigir a confiança de Marx na força regeneradora da história. Escaldado pelo auge fascista e pelo eclipse do movimento socialista, Marcuse lembrou que a repetição rebaixada de uma virada trágica tendia a ser mais sinistra do que o original. Daí o frio na espinha de agora, que de épico não tem nada. Dá para sentir que nenhuma terra está mais em transe, prestes a parir o dia-que-virá. A queda vertiginosa, que estamos chamando de golpe para espantar o medo e levantar a moral no chão, ocorreu numa hora mundial de flagrante desagregação. E multiplicação de saídas de emergência para ganhar tempo. A engenharia social chamada "lulismo" foi uma delas. Seu colapso catastrófico – por falta inclusive do dinheiro que lhe permitia comprar tempo – não esperou pelo golpe de misericórdia de nenhum estado maior na sombra. Quando a massa conservadora tomou as ruas de Junho, a reviravolta já estava consumada. Massa impressionante de energia social insurgente para a qual não tínhamos resposta alguma. Foi assim no entreguerras europeu. Fascismo? Seja como for, no nosso caso não se repetirá como farsa pelo simples fato de que não houve original. Vamos inovar.

Paulo Arantes

Prólogo
O desmonte do Estado
Graça Costa

Tempos sombrios estes em que vivemos, tempos em que o que há de pior na política depõe a presidente da República para impor a uma nação inteira quase cem anos de retrocesso. Somente um golpe é capaz de conduzir o país a tamanho atraso.

Assistimos atônitos, à luz do dia, a movimentos rumo ao desmonte do Estado. Proposta de privatização do patrimônio público e desvinculação constitucional dos gastos sociais obrigatórios visam instituir um Estado mínimo no Brasil, com todos os prejuízos que isso traz para as políticas públicas de proteção social.

Vivemos um golpe contra o povo trabalhador. Uma reforma da previdência elevando a idade mínima para a aposentadoria e desvinculando o piso previdenciário do salário mínimo. Uma reforma trabalhista que aprova a prevalência do negociado sobre o legislado, transformando, em questão de tempo, o fim dos direitos consagrados na Consolidação das Leis do Trabalho (CLT).

Uma grande tormenta se desenha no horizonte, uma tragédia para todos que sonham viver num país desenvolvido com justiça social. Resistiremos!

Nota da editora

Antecedido por *Occupy: movimentos de protesto que tomaram as ruas* (2012), *Cidades rebeldes: Passe Livre e as manifestações que tomaram as ruas do Brasil* (2013), *Brasil em jogo: o que fica da Copa e das Olimpíadas?* (2104) e *Bala perdida: a violência policial no Brasil e os desafios para sua superação* (2015), este *Por que gritamos Golpe? Para entender o impeachment e a crise política do Brasil* é o quinto volume da coleção Tinta Vermelha, que reúne obras de intervenção e reflexão sobre acontecimentos atuais.

O título da coleção é uma referência ao discurso de Slavoj Žižek aos manifestantes do Occupy Wall Street, na Liberty Plaza (Nova York), em 9 de outubro de 2011. O filósofo esloveno usou a metáfora da "tinta vermelha" para expressar a encruzilhada ideológica do século XXI: "Temos toda a liberdade que desejamos – a única coisa que falta é a 'tinta vermelha': nos 'sentimos livres' porque somos desprovidos da linguagem para articular nossa falta de liberdade". A íntegra do discurso está disponível em: <http://blogdaboitempo.com.br/2011/10/11/a-tinta-vermelha-discurso-de-slavoj-zizek-aos-manifestantes-do-movimento-occupy-wall-street/>.

Com a colaboração de alguns dos autores deste livro e de outros que fazem parte do catálogo da editora, alimentaremos a reflexão e ampliaremos o debate aqui proposto no *Blog da Boitempo* (www.blogdaboitempo.com.br), sob a coordenação de Artur Renzo.

Apresentação
O golpe que tem vergonha de ser chamado de golpe
Ivana Jinkings

O Brasil vive um golpe de Estado.

A frase acima não admite tergiversações ou volteios em seu entendimento. A pílula não pode ser dourada. Trata-se de uma ruptura de novo tipo, distinta das observadas nos países sul-americanos entre os anos 1960-1980. Naqueles tempos, aparecia um roteiro que se tornou clássico: as forças armadas se dividiam, um setor se aliava com o grande capital, com os monopólios da mídia e com a embaixada estadunidense. O enredo era previsível: o palácio de governo era sitiado, o mandatário eleito era encarcerado ou expulso do país – quando não assassinado – e triturava-se a institucionalidade vigente.

Realizada a trama, o passo seguinte era legalizar o ardil. Juristas inescrupulosos eram chamados para dar tinturas de normalidade constitucional à ditadura estabelecida e, ato contínuo, sufocavam-se com truculência usual as vozes dissonantes.

No Brasil de 1964, o engodo foi denominado de "revolução". Nenhum golpista admite que se denomine sua ação em português claro: golpe de Estado.

12 | Por que gritamos golpe?

Em 2016 isso se repete no país. A presidente legitimamente eleita foi derrubada por um processo político baseado em leituras elásticas da Constituição e artimanhas jurídicas de diversos matizes, que tentam mostrar como lícito o conluio do judiciário com um Parlamento em sua maior parte corrupto e uma mídia corporativa a serviço das elites financeiras.

As origens da crise mostram, entretanto, um quadro muito mais complexo, que começou quando o governo – assim que fechadas as urnas da reeleição, em 27 de outubro de 2014 – abandonou suas promessas de campanha e adotou o programa de seu oponente, Aécio Neves, do Partido da Social Democracia Brasileira (PSDB). Aos poucos, a base social tradicional do Partido dos Trabalhadores (PT) que garantira a vitória da candidata Dilma Rousseff se afastou do governo, abrindo caminho para uma ofensiva crescente da direita. O agravamento repentino do quadro econômico e uma recessão planejada, que derrubou o PIB, criaram uma situação de extrema vulnerabilidade.

O golpe propriamente dito remonta a 29 de outubro de 2015, quando foi lançado, pelo Partido do Movimento Democrático Brasileiro (PMDB), copartícipe do governo e sigla do vice-presidente Michel Temer, o plano *Uma ponte para o futuro*[1]; em 2 de dezembro o então presidente da Câmara dos Deputados, Eduardo Cunha (um dos chefes do ardil, atualmente afastado do cargo e em vias de ter seu mandato cassado por corrupção) abriu o processo de impeachment contra a presidente, alegando crime de responsabilidade com respeito à lei orçamentária e à lei de improbidade administrativa – as decantadas "pedaladas fiscais"[2]; em 29 de março de 2016 o PMDB se retirou do governo; no dia 17 de abril o plenário da Câmara aprovou o relatório favorável ao impedimento da presidente, numa sessão em que parlamentares indiciados por corrupção e réus em processos diversos dedicaram seu voto a Deus e à família, numa espetacularização execrável da política; em 12 de maio, o Senado Federal também aprovou a abertura do processo que culminou no afastamento de Dilma Rousseff da presidência, até que seja concluído.

A exemplo das derrubadas dos governos de Manuel Zelaya, em Honduras (2009), e Fernando Lugo, no Paraguai (2012), há intensa – e falsa – polêmica nos meios políticos, jurídicos e comunicacionais. Argumentam não se tratar

---

[1] Partido do Movimento Democrático Brasileiro e Fundação Ulysses Guimarães, *Uma ponte para o futuro*, Brasília, 29 out. 2015, disponível em: <http://pmdb.org.br/wp-content/uploads/2015/10/RELEASE-TEMER_A4-28.10.15-Online.pdf>.

[2] Nome dado à prática do Tesouro Nacional de atrasar o repasse de dinheiro para bancos (públicos ou privados) financiadores de despesas do governo.

de golpe. Todo o rito democrático foi seguido, senhoras e senhores. O que se constitui agora é um "governo de salvação nacional", alegam os usurpadores.

Deixemos de lado que mais da metade dos ministros da nova ordem, bem como o autodenominado presidente da República, tenham seus nomes envolvidos em embaraços com a lei e sejam suspeitos de corrupção. Passemos ao largo dos embustes vergonhosos no comportamento de uma nova corte, composta pelas igualmente vergonhosas oligarquias regionais brasileiras. Vamos ao centro da ação que culminou no processo de impeachment de Dilma Rousseff. Ele está a cargo de expoentes do rentismo internacional, nas figuras do ministro da Fazenda e do presidente do Banco Central.

Não temos apenas um governo ilegítimo e composto pelo que há de mais nefasto na vida política brasileira. Há senhores e senhoras elegantes, cultos e viajados a cuidar do que importa. "Gente do mercado", como se diz com orgulho, para concretizar um processo de concentração de renda e retirada de direitos duramente conquistados pelas camadas mais pobres do país ao longo de anos de luta.

O que pretendem tais personagens? Simplesmente acabar com o pacto resultante da democratização do Brasil há três décadas, consubstanciado na Constituição de 1988. Nossa Carta Magna está longe de ser perfeita e já sofreu mais de setenta emendas – em sua maior parte regressivas. Mas representa uma tentativa negociada de se construir um Estado de bem-estar ao Sul do mundo, cuja maior expressão são o Sistema Único de Saúde (SUS) e o Sistema de Seguridade Social. São projetos universalizantes que, se contassem com dotação orçamentária devida, poderiam minorar nossa terrível desigualdade social. Pois são justamente essas duas áreas as primeiras a serem atacadas, bem como o caráter laico de nosso Estado, conquista que remonta à Constituição de 1891.

Idealizado coletivamente, este livro representa um esforço para se entender a atual crise por que passa o Brasil e ajudar no combate ao que se convencionou chamar, dentro e fora do país, de Golpe de Estado de 2016[3]. Os autores aqui reunidos são intelectuais, jornalistas, estudantes, militantes políticos e lutadores democráticos, alguns muito jovens, outros com décadas de jornada.

Áreas como a democracia, a economia, o judiciário, as políticas sociais, a política externa, a cultura, as lutas das mulheres, dos negros, dos LGBTs, da juventude e a própria legitimidade da ruptura institucional são examinadas com rigor e detalhe, no calor da hora. Pelas páginas que seguem, o leitor

---

[3] Uma cronologia resumida dos acontecimentos, da reeleição de Dilma Rousseff aos dias que correm, pode ser acessada em: <https://blogdaboitempo.com.br/cronologia-do-golpe/>.

14 | Por que gritamos golpe?

encontra textos inéditos de André Singer, Armando Boito Júnior, Ciro Gomes, Djamila Ribeiro, Eduardo Fagnani, Esther Solano, Gilberto Maringoni, Graça Costa, Guilherme Boulos, Jandira Feghali, Juca Ferreira, Leda Maria Paulani, Lira Alli, Luis Felipe Miguel, Luiz Bernardo Pericás, Marcelo Semer, Márcio Moretto, Marilena Chaui, Marina Amaral, Mauro Lopes, Michael Löwy, Murilo Cleto, Pablo Ortellado, Paulo Arantes, Renan Quinalha, Roberto Requião, Ruy Braga, Tamires Gomes Sampaio e Vítor Guimarães.

Por que gritamos Golpe? conta ainda com as contribuições de Boaventura de Sousa Santos e Luiza Erundina (na quarta capa) e com as charges – geniais – de Laerte Coutinho, que representam nossa realidade pelo viés do humor, escracham valores alegados pelos conspiradores e revelam outra narrativa e outra comunicação. Ao lado das fotos cedidas e selecionadas pelo coletivo Mídia NINJA, que cobre em tempo real as manifestações que pululam em todo o país, colaboram para montar o cenário do golpe ponto a ponto, passo a passo.

A partir de uma pauta elaborada pelos organizadores, encomendaram-se os textos diretamente aos autores; as charges (cedidas pelo jornal *Folha de S.Paulo*), foram selecionadas por Laerte, e as fotos do coletivo Mídia NINJA foram escolhidas por Rafael Vilela e editadas por Kim Doria. Para tornar o livro mais acessível, autores, artistas, fotógrafos e organizadores abriram mão de serem remunerados por seus trabalhos. A todos esses colaboradores, o nosso caloroso agradecimento. O apoio da Federação dos Bancários do Centro Norte, na pessoa do diretor Jacy Afonso, e da Fundação Lauro Campos, na pessoa de seu presidente, Juliano Medeiros, foi também essencial para que esta obra venha a alcançar o maior número de pessoas, estimulando, quem sabe, seu olhar crítico e o desejo de lutar efetivamente por democracia e justiça.

O combate e a derrota do governo que se apossou do Planalto se fará principalmente nas ruas, com a mobilização cívica e indignada do povo brasileiro. Só assim a luta pressionará os centros de poder. Vivemos tempos difíceis, tendo em vista o projeto econômico, social e cultural que ora se apresenta e a fragilidade das instituições, incluindo a mais alta corte do Judiciário. As esquerdas e os democratas precisam reconstruir seu pensamento e sua ação, sem o que não terão papel no que ainda há de se enfrentar no Brasil e na América do Sul como um todo.

Assim, esperamos que este pequeno volume se some às muitas iniciativas de resistência, como ferramenta preciosa à compreensão dos antecedentes da crise, dos impasses do presente e do futuro do país.

Por fim, FORA TEMER!

São Paulo, junho de 2016

A nova classe trabalhadora brasileira e a ascensão do conservadorismo
Marilena Chaui

Estudos, pesquisas e análises mostram que houve uma mudança profunda na composição da sociedade brasileira, graças aos programas governamentais de transferência da renda, inclusão social e erradicação da pobreza, à política econômica de emprego e de elevação do salário mínimo, à recuperação de parte dos direitos sociais das classes populares (sobretudo relativos a alimentação, saúde, educação e moradia), à articulação entre esses programas e o princípio do desenvolvimento sustentável e aos primeiros passos de uma reforma agrária que permita às populações do campo não recorrer à migração forçada em direção aos centros urbanos. Os programas sociais determinaram mudanças profundas nos costumes (particularmente no que se refere às mulheres e aos jovens), operando transformações no plano da cultura, isto é, dos valores simbólicos.

De modo geral, utilizando a classificação dos institutos de pesquisa de mercado e da sociologia, o Ipea segue o costume de organizar a sociedade numa pirâmide seccionada em classes designadas como A, B, C, D e E, tomando como critérios a renda, a propriedade de bens imóveis e móveis, a escolaridade e a ocupação ou profissão exercida. Por esse critério, chegou-se à conclusão de que, entre 2003 e 2011, as classes D e E diminuíram consideravelmente,

16 | Por que gritamos golpe?

passando de 96,2 milhões de pessoas para 63,5 milhões. No topo da pirâmide, houve crescimento das classes A e B, que passaram de 13,3 milhões de pessoas para 22,5 milhões. Mas a expansão verdadeiramente espetacular ocorreu na classe C, que passou de 65,8 milhões de pessoas para 105,4 milhões. Essa expansão levou à afirmação de que a classe média brasileira cresceu, ou melhor: de que teria surgido uma nova classe média no país.

Sugerimos aqui, entretanto, que há no Brasil *uma nova classe trabalhadora*, cuja composição, forma de inserção econômica e social, formas de expressão pública e de consciência permanecem ainda muito difíceis de apreender e compreender, mesmo com o auxílio do conceito de Paul Singer de *subproletariado* ou o de *precariado*, proposto por alguns cientistas sociais.

Como sabemos, há outra maneira de analisar a divisão social das classes, tomando como critério a *forma da propriedade*. Dizendo o óbvio ululante: no modo de produção capitalista, a classe dominante é proprietária privada dos meios sociais de produção (capital produtivo e capital financeiro); a classe trabalhadora, excluída desses meios de produção e neles incluída como força produtiva, é "proprietária" da força de trabalho, vendida e comprada sob a forma de salário. Marx falava em pequena burguesia para indicar uma classe social que não se situava nos dois pólos da divisão social constituinte do modo de produção capitalista, bem como para indicar, por um lado, sua proximidade social e ideológica com a burguesia e não com os trabalhadores e, por outro, que, embora não fosse proprietária privada dos meios sociais de produção, poderia ser proprietária privada de bens móveis e imóveis. Numa palavra, encontrava-se fora do núcleo central do capitalismo: não era detentora do capital nem dos meios sociais de produção e não era a força de trabalho que produz capital; situava-se nas chamadas profissões liberais, na burocracia estatal (ou nos serviços públicos) e empresarial (ou na administração e gerência), na pequena propriedade fundiária e no pequeno comércio.

É a sociologia, sobretudo de inspiração estadunidense, que introduz a noção de *classe média* para designar esse setor socioeconômico, empregando, como dissemos acima, os critérios de renda, escolaridade, profissão e consumo – a pirâmide das classes A, B, C, D e E[1] –, e a célebre ideia de

---

[1] As refutações mais contundentes desse tipo de descrição encontram-se nas pesquisas de Jessé de Souza, apresentadas, por exemplo, no livro *Os batalhadores brasileiros: nova classe média ou nova classe trabalhadora?* (São Paulo, Humanitas, 2012), e nas de Celi Scalon e André Salta, mencionadas por Carlos Henrique Pissardo no artigo "A politização do cotidiano, a classe média e a esquerda", *Carta Maior*, 19 jul. 2013. Em todas elas, o que se vê é o crescimento da classe trabalhadora e não o surgimento de uma suposta nova classe média.

mobilidade social para descrever a passagem de um indivíduo de uma classe para outra.

Se abandonarmos essa descrição sociológica, se ficarmos com a constituição das classes sociais no modo de produção capitalista (ainda que adotemos a expressão "classe média"), se, no caso do Brasil, considerarmos as pesquisas que mencionamos e os números que elas apresentam relativos à diminuição e ao aumento do contingente demográfico nas três classes sociais e se, por outro lado, no caso do modo de produção capitalista em geral, levarmos em conta as mudanças sociais acarretadas: a) pelo desaparecimento da produção industrial sob a forma fordista e sua substituição pela fragmentação e dispersão da produção, b) pelo surgimento da tecnociência e a mudança no modo de inserção social de cientistas e técnicos e c) pela passagem das antigas profissões liberais autônomas à condição assalariada, poderemos fazer algumas considerações provisórias que talvez auxiliem análises e interpretações das classes sociais no Brasil, particularmente da nova classe trabalhadora:

1. os projetos e programas de transferência de renda e garantia de direitos sociais (educação, saúde, moradia, alimentação) e econômicos (Bolsa Família; aumento real do salário mínimo; políticas de emprego; salário-desemprego; reforma agrária; cooperativas de economia solidária etc.) indicam que o que cresceu no Brasil foi a classe trabalhadora, cuja composição é complexa, heterogênea e não se limita aos operários industriais e agrícolas "tradicionais";

2. o critério dos serviços como definidor da classe média não se mantêm na forma atual do capitalismo por dois motivos:

a) com a desativação do modelo de produção industrial de tipo fordista, os serviços que faziam parte dessa planta industrial foram terceirizados, mas continuam articulados à produção industrial e são dela um ramo – sua dispersão espacial e seu *aparecer* sob a forma de empresas autônomas não significa que seus trabalhadores deixaram de estar vinculados à produção. A escolaridade exigida desses novos trabalhadores é imposta pelas condições tecnológicas de seus serviços, e por isso o critério da escolaridade, das habilidades e competências não os define como membros da classe média;

b) a ciência e as técnicas (a chamada tecnociência) se tornaram forças produtivas e os serviços por elas realizados ou delas dependentes estão diretamente articulados à acumulação e reprodução do capital. Nas formas anteriores do capitalismo, as ciências, ainda que

18 | Por que gritamos golpe?

algumas delas fossem financiadas pelo capital, se realizavam, em sua maioria, em pesquisas autônomas cujos resultados poderiam levar a tecnologias aplicadas pelo capital na produção econômica. Essa situação significava que cientistas e especialistas técnicos só indiretamente se relacionavam com a acumulação do capital e pertenciam à classe média. Hoje, porém, as ciências e as técnicas tornaram-se parte essencial das forças produtivas, e por isso cientistas e técnicos especializados passaram da classe média à classe trabalhadora como produtores de bens e serviços articulados à relação entre capital e tecnociência. Novamente: renda, propriedades e escolaridade não são critérios para distinguir entre os membros da classe trabalhadora e os da classe média.

3. o critério da profissão liberal também se tornou problemático para definir a classe média, uma vez que a nova forma do capital levou à formação e à ampliação de empresas de saúde, advocacia, educação, comunicação, alimentação etc., de maneira que seus componentes se dividem entre proprietários privados e assalariados e estes devem ser colocados na classe trabalhadora.

4. a figura da pequena propriedade familiar também não é critério para definir a classe média, porque a economia neoliberal, ao desmontar o modelo fordista, fragmentar e terceirizar o trabalho produtivo em milhares de microempresas (grande parte delas familiares) dependentes do capital transnacional, transformou esses pequenos empresários em força produtiva que, juntamente com os prestadores individuais de serviços (seja na condição de trabalhadores "precários", seja na condição de trabalhadores informais), é dirigida e dominada pelos oligopólios multinacionais; em suma, os transformou numa parte da nova classe trabalhadora mundial.

Restaram, portanto, como espaços para alocar a classe média as burocracias estatal e empresarial, os serviços públicos, a pequena propriedade fundiária, o pequeno comércio não filiado às grandes redes de oligopólios transnacionais e os profissionais liberais ainda não assalariados. No Brasil, essa classe se beneficiou com as políticas econômicas dos últimos dez anos, cresceu e prosperou, mas, conforme as pesquisas mencionadas, não no mesmo grau nem na mesma intensidade que a classe trabalhadora.

Assim, quando dizemos que se trata de uma *nova* classe trabalhadora, consideramos que a novidade não se encontra apenas nos efeitos das políticas sociais e econômicas dos governos petistas, mas também nos dois elementos trazidos pelo neoliberalismo, quais sejam: de um lado, a fragmentação, terceirização e "precarização" do trabalho e, de outro, a incorporação à classe trabalhadora de segmentos sociais que, nas formas anteriores do capitalismo, teriam pertencido à classe média.

Donde uma pergunta: o que sabemos efetivamente dessa nova classe trabalhadora? Resposta: quase nada.

Uma classe social não é um *dado* fixo, definido apenas pelas determinações econômicas, mas um *sujeito* social, político, moral e cultural que age, se constitui, interpreta a si mesma e se transforma por meio da luta de classes. Ela é uma *práxis*, um fazer histórico. Se é nisso que reside a possibilidade transformadora da classe trabalhadora, é nisso também que reside a possibilidade do ocultamento de seu ser e o risco de sua absorção ideológica pela classe dominante, sendo o primeiro sinal desse risco justamente a difusão de que há uma nova classe média no Brasil. E é exatamente por isso também que a classe média coloca uma questão política de enorme relevância para nós, como atesta sua participação majoritária nas manifestações de 2016 em favor do golpe do Estado.

Estando fora do núcleo econômico definidor do capitalismo, a classe média encontra-se também fora do núcleo do poder político: ela não detém o poder do Estado (que pertence à classe dominante) nem o poder social da classe trabalhadora organizada. Isso a coloca numa posição que a define não somente por sua posição econômico-política, mas também e sobretudo por *seu lugar ideológico* – e este tende a ser contraditório.

Por sua posição no sistema social, a classe média tende a ser fragmentada, raramente encontrando um interesse comum que a unifique. Todavia, certos setores – como é o caso, por exemplo, de estudantes, professores, setores do funcionalismo público, intelectuais, lideranças religiosas – tendem a se organizar e a se opor à classe dominante em nome da justiça social, colocando-se na defesa dos interesses e direitos dos excluídos, dos espoliados, dos oprimidos; numa palavra, tendem para a esquerda e, via de regra, para a extrema esquerda e o voluntarismo, isto é, por uma relação com o tempo como descontínuo e volátil que exige ações imediatas. No entanto, essa configuração é contrabalançada por outra, exatamente oposta. Fragmentada, perpassada pelo individualismo competitivo, desprovida de um referencial social e econômico sólido e claro, a classe média tende a suprir a experiência de um tempo descontínuo e efêmero com o imaginário da ordem e da segurança, que introduziria permanência temporal e espacial. Desejo de ordem e segurança também porque,

20 | Por que gritamos golpe?

em decorrência de sua fragmentação e de sua instabilidade, seu imaginário é povoado por um sonho e por um pesadelo: seu sonho é tornar-se parte da classe dominante; seu pesadelo, tornar-se proletária. Para que o sonho se realize e o pesadelo não se concretize, é preciso ordem e segurança. Isso torna a classe média ideologicamente conservadora e reacionária, e seu papel social e político é assegurar a hegemonia ideológica da classe dominante.

Cabe ainda particularizar a classe média brasileira, que, além dos traços anteriores, é também determinada pela estrutura autoritária da sociedade brasileira, marcada pelo predomínio do espaço privado sobre o público e fortemente hierarquizada em todos os seus aspectos: nela, as relações sociais e intersubjetivas são sempre realizadas como relação entre um superior, que manda, e um inferior, que obedece; as diferenças e assimetrias são sempre transformadas em desigualdades que reforçam a relação mando-obediência, e as desigualdades são naturalizadas. As relações entre os que se julgam iguais são de "parentesco", isto é, de cumplicidade; e com os que são vistos como desiguais, o relacionamento toma a forma do favor, da clientela, da tutela ou da cooptação; quando a desigualdade é muito marcada, assume a forma da opressão, de sorte que a divisão social das classes é sobredeterminada pela polarização entre a carência (das classes populares) e o privilégio (da classe dominante). A classe média não só incorpora e propaga ideologicamente as formas autoritárias das relações sociais, como também incorpora e propaga a naturalização e valorização positiva da fragmentação e dispersão socioeconômica, trazidas pela economia neoliberal e defendidas ideologicamente pelo estímulo ao individualismo competitivo agressivo e ao sucesso a qualquer preço por meio da astúcia, para operar com os procedimentos do mercado.

E é nisto que reside o problema da absorção ideológica da nova classe trabalhadora brasileira pelo imaginário de classe média, absorção que atualmente, no Brasil, se manifesta na disputa entre duas formulações ideológicas que enfatizam a individualidade bem-sucedida: a "teologia da prosperidade", do pentecostalismo, e a "ideologia do empreendorismo", da classe média neoliberal (o sonho de virar burguesia). Em outras palavras, visto que a nova classe trabalhadora brasileira se constituiu no interior do momento neoliberal do capitalismo, nada impede que, não tendo ainda criado formas de organização e de expressão pública, ela se torne propensa a aderir ao individualismo competitivo e agressivo difundido pela classe média. Ou seja, que ela possa aderir ao *modo de aparecer do social* como conjunto heterogêneo de indivíduos e interesses particulares em competição. E ela própria é levada a acreditar que faz parte de uma nova classe média brasileira.

Essa crença é reforçada por sua entrada no consumo de massa. De fato, do ponto de vista simbólico, a classe média substitui sua falta de poder econômico e de poder político – seja pela guinada ao voluntarismo de esquerda, seja pela guinada à direita – pela busca do prestígio e dos signos de prestígio, como por exemplo, os diplomas e os títulos vindos das profissões liberais, e pelo consumo de serviços e objetos indicadores de autoridade, riqueza, abundância, ascensão social – o apartamento no "bairro nobre" com quatro "suítes", o carro importado, a roupa de marca, o número de serviçais etc. Em outras palavras, o consumo lhe aparece como ascensão social em direção à classe dominante e como distância intransponível entre ela e a classe trabalhadora. Esta, por sua vez, ao ter acesso ao consumo de massa, tende a tomar esse imaginário por realidade e a aderir a ele.

Donde uma nova pergunta: se, pelas condições atuais de sua formação, a nova classe trabalhadora brasileira está cercada por todos os lados pelos valores e símbolos neoliberais difundidos pela classe média, como desatar esse nó?

Uma primeira possibilidade de resposta poderia ser formulada se mantivermos nossa observação anterior de que uma classe social não é uma coisa ou um dado fixo e sim uma práxis. Desse ponto de vista, compreende-se porque a situação da classe média é contraditória e que, se ela pode tender para posições conservadoras e reacionárias, pode também tomar a direção oposta, lutando contra formas de injustiça, opressão e dominação. Essa oscilação esteve presente nas manifestações de junho e julho de 2013, na cidade de São Paulo[2], transparecendo em lutas entre os próprios manifestantes na disputa pela rua. O mencionado artigo de Carlos Pissardo é particularmente importante ao indicar que, na cidade de São Paulo, as manifestações de junho de 2013 foram majoritariamente de classe média porque, de fato, essa classe, ao ter sido menos favorecida do que a classe trabalhadora pelos programas sociais do governo Lula, se sente descontente, uma vez que deseja manter padrões tradicionais de vida e consumo (a educação privada, os planos de saúde, o uso de empréstimos bancários para a aquisição de imóveis em condomínios e de veículos etc.), sentindo-se ameaçada com o surgimento da nova classe trabalhadora. Isso explicaria porque houve conflitos e disputas entre os manifestantes, uma parte com posições à esquerda e outra, à direita.

---

[2] Não nos referiremos a outras cidades por dois motivos: em primeiro lugar, porque acompanhamos mais de perto apenas as manifestações paulistanas e, em segundo, porque tudo indica que, quando nos voltamos para todo o país, as manifestações foram muito diferenciadas em suas motivações, finalidades e formas de aparição.

22 | Por que gritamos golpe?

Todavia, é preciso também considerar que nessa prática, na cidade de São Paulo, estiveram presentes três outros tipos de manifestantes vindos diretamente da nova classe trabalhadora: de fato, entre os estudantes, muitos pertenciam à classe trabalhadora (vindos do ProUni, do Reuni e das cotas nas universidades públicas) e, entre os jovens, uma parte veio dos movimentos populares das periferias e das favelas, muitos deles pertencentes ao contingente dos novos trabalhadores – que, na falta de outro termo, chamaremos provisoriamente de "precários" –, e, enfim (sobretudo como se viu entre julho e outubro de 2013), uma parcela integra grupos de anônimos (como os chamados *black blocs*), cuja composição é fluida e inclui estudantes das periferias e das favelas, jovens trabalhadores "precários" e estudantes de classe média. Esses três tipos de manifestantes não parecem aderir às duas modalidades ideológicas propostas pela classe média, isto é, a "teologia da prosperidade" e o "empreendedorismo", tampouco parecem movidos pelas miragens do consumo e da competição.

As manifestações de 2016 evidenciaram as divisões políticas que atravessam a nova classe trabalhadora quando parte dela acompanhou a classe média, que, encorajada e empurrada pelos meios de comunicação de massa e partidos políticos de oposição, ergueu sua tradicional bandeira de luta contra a corrupção política e em favor de um golpe de Estado para restaurar "a ordem e o progresso". E o fez com uma violência, um ressentimento e um desejo sombrio de vingança não encontrados nem mesmo nas Marchas pela Família que encabeçaram o golpe de 1964.

Os atores e o enredo da crise política
Armando Boito Jr.

Existem várias teorias que podem ser usadas para se abordar uma crise política. Para um entendimento aprofundado daquilo que se lê sobre o tema, o leitor deve perguntar-se sobre os pressupostos, os conceitos e as teses que o analista mobiliza. A principal questão é: quais são os atores e qual é o enredo do drama chamado crise?

Lideranças e ideias

No atual cenário brasileiro, aqueles que entendem que a política é um campo que se define pela luta entre grandes personalidades explicavam a crise como o resultado do enfrentamento entre uma pessoa autoritária e incompetente, Dilma Rousseff, e Aécio Neves, que não soube aceitar sua derrota eleitoral. Essas imagens podem dizer algo sobre tais personalidades, mas não explicam nem a ocorrência nem a dinâmica da crise. Não é sensato acreditar que alguns políticos teriam o poder de definir sozinhos os rumos da política brasileira. Ao contrário, é a crise que governa o destino deles. Neste momento, junho de 2016, Dilma foi afastada, mas Aécio, que era uma estrela em 2015, foi jogado para o fundo da cena. Hoje, ele é figura apagada: apoia a contragosto o governo interino de Temer e está ameaçado pela operação Lava Jato. Seu

24 | Por que gritamos golpe?

futuro político é incerto. Já Temer, um político medíocre, foi premiado pelas circunstâncias.

Outra concepção da política é aquela que concebe o processo como uma luta de ideias, de valores ou de projetos. Para a surpresa de alguns que praticam esse tipo de análise, convém lembrar que ela é tributária da tradição liberal. Supõe-se – mesmo que tal suposição esteja apenas nas entrelinhas – a existência de um espaço público no qual cidadãos livres, conscientes e socialmente desencarnados buscariam adesões para suas ideias. No caso do Brasil, teríamos um conflito entre os neoliberais e os desenvolvimentistas: os primeiros, defensores do livre jogo das forças de mercado e críticos do intervencionismo estatal; os segundos, partidários da intervenção do Estado na economia para estimular o crescimento econômico. Cada uma das partes considera que a corrente oponente é "equivocada". O debate dá-se em torno da racionalidade das ideias. A crise política resultaria, nesse caso, do agravamento da luta entre essas duas correntes de opinião.

Aqui, não são mais os indivíduos que constituem o ponto de partida da análise, mas sim os coletivos partidários, que agem buscando obter a hegemonia de suas ideias. Esse tipo de análise é mais sofisticado que o anterior. De fato, a luta de ideias é importante na política, e as ideias que se tornam dominantes podem determinar o rumo da história. Contudo, o erro dessa abordagem consiste em se ater ao terreno das ideias, ignorando suas raízes sociais e imaginando que a disputa se dá entre cidadãos livres, conscientes e socialmente indeterminados. Se se tratasse de um conflito doutrinário, como explicar o fato de o governo Dilma, neodesenvolvimentista, ter aplicado um ajuste fiscal pesado? Ou, ainda, o fato de os deputados neoliberais terem votado contra as medidas desse ajuste? Note-se também que, no mais das vezes, as análises que se atêm a correntes de pensamento nem sequer se perguntam por que são essas duas correntes, a neoliberal e a neodesenvolvimentista, e não outras, que adquiriram proeminência na política brasileira contemporânea. Finalmente, essas análises tampouco refletem sobre as razões pelas quais cada uma dessas correntes tem um público preferencial: a difusão das ideias neoliberais é maior entre os capitalistas que entre os operários. Ora, a distribuição dos partidários de uma e de outra corrente no conjunto da sociedade não é socialmente aleatória.

Conflito de classes

O enfoque teórico que entendemos ser o mais elucidativo é o enfoque marxista. Ele não parte nem dos indivíduos nem das correntes de opinião, mas sim das classes sociais. Dado esse ponto de partida, a análise da crise tem um encaminhamento muito diverso. O processo político é concebido como resultado de conflitos entre classes e frações de classe, e a crise aparece como resultado do aguçamento desses conflitos.

Quando falamos em *conflito de classes* não estamos pensando num conflito simples entre a burguesia e a classe operária. Tampouco pensamos numa disputa mais avançada entre socialismo e capitalismo. Para uma situação desse tipo convém guardarmos o conceito de *luta de classes*. Ora, o que temos no Brasil de hoje não é isso. O que temos aqui é um conflito distributivo, pela apropriação da riqueza, e ele envolve diversas classes e frações. Os conflitos são, portanto, variados e complexos, não excluem o surgimento de alianças, configurando sucessivas mutações no quadro político, e são justamente essa variedade, complexidade e mutações que podem explicar o fundamental da variedade e da complexidade dos enfrentamentos que observamos no conjunto do processo. Os conflitos entre partidos e mesmo os conflitos no interior do Estado, embora possuam suas especificidades, devem ser reportados aos conflitos de classe. Delegados da Polícia Federal e procuradores e juízes da Lava Jato agem, na luta contra o Executivo Federal, como burocratas do Estado e também como agentes da alta classe média.

Os conflitos de classe nem sempre se apresentam como tal; eles aparecem mascarados. Principalmente em se tratando de classes minoritárias e abastadas, interesses particularistas acabam por assumir uma feição universalista, condição para que sejam aceitos como legítimos pela maioria da população. Os banqueiros não dizem que defendem a elevação da taxa de juro para aumentar o lucro dos bancos, mas sim para combater a inflação. Com o discurso dos partidos políticos se passa algo semelhante. Todos os partidos políticos burgueses, de classe média e da pequena burguesia tendem a se apresentar como defensores dos interesses do "cidadão" ou do "país". O analista terá de decodificar tais discursos se quiser chegar ao motivo de fundo que governa a ação desses partidos. Na crise atual, esse fenômeno da dissimulação aparece, de modo exemplar, na pretensa luta contra a corrupção. De um lado, teríamos um governo e um partido corruptos e, de outro, um grande arco oposicionista interessado em instaurar a moralidade pública. Muitos são os elementos que permitem indicar o caráter dissimulador desse discurso. O arco de partidos oposicionistas instaurou, após o afastamento de Dilma, um governo interino repleto de denunciados, investigados e condenados pela justiça. O próprio presidente interino foi condenado por crime eleitoral e está inelegível por oito anos. De resto, as gravações do senador

26 | Por que gritamos golpe?

Romero Jucá* comprovaram que o objetivo de boa parte dos congressistas que votaram pelo impeachment era abafar a investigação da corrupção. Nada disso significa que todos aqueles que saíram às ruas pedindo o impeachment o fizeram de maneira hipócrita. Porém, é certo que a *força dirigente* do golpe institucional travava um combate que não era o combate contra a corrupção. Embora os conflitos de classe sejam o elemento fundamental do processo, eles não são o único. A luta das mulheres, dos negros e das minorias sexuais, que não é luta de classes, teve impacto no processo político nacional. Ora, esses movimentos, embora mantenham relações com os conflitos de classe e sejam por eles afetados, relacionam-se com eles de maneira muito variada. A população negra está concentrada nas classes populares, enquanto as minorias sexuais distribuem-se aleatoriamente pelas diferentes classes sociais. O movimento negro tem, por isso, uma relação forte e positiva com o movimento popular. Pois bem, é sabido que a chamada "bancada da Bíblia" no Congresso Nacional aderiu ao impeachment com o objetivo de impor um retrocesso nas conquistas desses movimentos. Recorde-se que o primeiro ato do governo interino foi extinguir os ministérios voltados para as suas demandas. E por esse motivo os movimentos de mulheres têm tido papel destacado na luta contra o governo interino de Temer.

Contudo, entendemos que a causa principal da crise foi o conflito distributivo de classe. O pesado ajuste fiscal para assegurar ao capital rentista o pagamento dos juros da dívida pública, a abertura e a privatização da economia brasileira para atender ao capital internacional e os cortes de direitos trabalhistas e sociais são os principais objetivos do governo interino e, correlatamente, o principal motivo da mobilização contra o golpe de Estado institucional.

Interesses pessoais também tiveram um papel. O presidente da Câmara dos Deputados, Eduardo Cunha, ao admitir o pedido de impeachment, agiu pensando em escapar da lei, assim como muitos dos deputados que deram seu voto a favor. Porém, como indicado anteriormente, os principais interesses que provocaram a crise e os principais resultados da deposição do governo Dilma são interesses de classe, que envolvem grandes massas da população trabalhadora, que afetam os negócios das grandes empresas brasileiras e estrangeiras, modelam o perfil da economia e, inclusive, têm consequências importantes na política latino-americana e mundial.

---

* Obtidos em março de 2016, os áudios vieram a público apenas no fim de maio. Ver Rubens Valente, "Em diálogos gravados, Jucá fala em pacto para deter avanço da Lava Jato", *Folha de S.Paulo*, 23 maio 2016; disponível online. (N. E.)

Os dois campos em luta

Sob os governos do PT e desprezando as variações que ocorreram de um governo para outro, podemos dizer que a política brasileira esteve dividida em dois campos. Eles envolviam todas as classes sociais em presença e cada um deles estava sob a hegemonia de uma fração da burguesia. Na crise, como iremos indicar, essa divisão foi abalada.

De um lado, tínhamos uma frente política heterogênea que agrupava a grande burguesia interna, composta pelas empresas brasileiras inseridas em variados ramos da economia, parte da baixa classe média, a maior parte da classe operária, do campesinato e dos trabalhadores da massa marginal. A política dessa frente de classes, representada pelos governos petistas, consistia, em primeiro lugar, no estímulo ao crescimento econômico com forte participação das grandes empresas nacionais, em detrimento – é preciso destacar esse ponto – de interesses do capital internacional. Em segundo lugar, tal política contemplava também, ainda que perifericamente, a distribuição de renda e a melhoria de condições de vida das classes populares. Tais governos implementaram ainda uma política cultural mais favorável aos movimentos feminista, negro e LGBT. É essa frente de classes e frações de classe que se expressa num discurso desenvolvimentista, ou neodesenvolvimentista, e muito moderadamente nacionalista, ou neonacionalista. Na área externa, os governos da frente neodesenvolvimentista implantaram a política externa Sul-Sul, privilegiando o estreitamento de relações com países da América Latina, da África e da Ásia e abandonando a política externa dos governos Fernando Henrique Cardoso, de alinhamento passivo com os Estados Unidos.

De outro lado, temos o campo político neoliberal puro e duro que era também uma frente de classes, embora fosse mais restrito até 2014. Essa frente era dirigida pela fração da burguesia brasileira integrada ao capital internacional, cujas propostas de política econômica e externa preteriam interesses de grupos econômicos brasileiros integrantes da burguesia interna: abertura comercial ampla, compras do Estado e das estatais abertas indiscriminadamente para as empresas estrangeiras, venda das estatais e redução de seus investimentos e alinhamento passivo com os Estados Unidos, entre outras. O capital internacional e a fração da burguesia brasileira a ele associada contavam com o apoio eleitoral da alta classe média. Essa fração de classe sempre deixou entrever sua oposição às políticas sociais dos governos do PT, percebidas como medidas indesejáveis por custarem caro ao Estado e por ameaçarem a posição econômica e social da classe média abastada. É verdade que também uma parte das classes populares – parte do movimento

28 | Por que gritamos golpe?

sindical e parte dos trabalhadores da massa marginal – foi, por razões que não são óbvias, atraídas pelo discurso neoliberal. No plano partidário, o Partido da Social Democracia Brasileira (PSDB) e o Democratas (DEM) eram os principais partidos a vocalizar os interesses das classes e frações de classe que integravam esse campo.

Essa análise distingue-se de outras que também pensam a política como um conflito de classes. De um lado, diferentemente do que sustentam alguns intelectuais e a direção do PT, os governos petistas não eram governos "dos trabalhadores". As políticas econômica, social e externa dos governos Lula e Dilma priorizaram não os interesses das grandes massas, mas sim os interesses das grandes empresas nacionais. As manifestações das associações ligadas às empreiteiras, à construção naval e à indústria de transformação, entre outras, evidenciam o apoio, até 2014, da grande burguesia interna aos governos neodesenvolvimentistas. A crise não é um levante das "elites" contra um governo "dos trabalhadores". De outro lado, diferentemente do que sustentam alguns intelectuais e organizações de extrema-esquerda, esses governos não foram governos "da burguesia". A oposição burguesa aos governos do PT não começou no momento da crise econômica ou devido à incapacidade do governo Dilma para resolvê-la. Os governos do PT sempre contaram com a oposição de uma fração da burguesia cujos interesses eram vocalizados por partidos como o PSDB e o DEM.

A crise

Entre 2003 e 2014, esses dois campos eram bem nítidos na política brasileira. Entre 2006 e 2012, o campo neodesenvolvimentista reinou, enquanto o campo neoliberal ortodoxo permaneceu na defensiva. A partir de 2011, com o prolongamento da crise do capitalismo internacional e também em decorrência de medidas políticas internas, o crescimento econômico brasileiro entrou em declínio.

No início de 2013, o capital internacional e a fração da burguesia a ele integrada iniciaram uma ofensiva política contra o governo Dilma. Devemos denominá-la uma ofensiva restauradora, porque seu objetivo era restaurar a hegemonia do neoliberalismo puro e duro. Essas forças viram no declínio do crescimento econômico a oportunidade de lutar contra as medidas de radicalização do neodesenvolvimentismo tomadas pela presidente Dilma – redução inusitada da taxa básica de juros, novas medidas protecionistas e depreciação cambial, entre outras.

Essa ofensiva deu-se numa fase de agravamento das contradições internas da frente neodesenvolvimentista. Assim, contradições presentes desde a formação da frente exacerbaram-se. O sindicalismo, que vinha desde 2004 incrementando a luta grevista e obtendo ganhos salariais crescentes, elevou suas exigências a partir de 2012-2013. É plausível a hipótese de que esse fato foi, pouco a pouco, afastando a grande burguesia interna da frente neodesenvolvimentista. Contradições novas surgiram. A baixa classe média fora contemplada com medidas democratizantes do acesso à universidade – a política de cotas, o Programa Universidade para Todos (ProUni), a Reestruturação e Expansão das Universidades Federais (Reuni) e o Fundo de Financiamento Estudantil (Fies). Porém, os novos diplomados não encontraram no mercado de trabalho os empregos que julgavam garantidos. Essa insatisfação eclodiu nas ruas em junho de 2013. Os próprios beneficiários do neodesenvolvimentismo começavam a retirar seu apoio a essa política.

Três acontecimentos maiores são responsáveis pela caminhada até aqui vitoriosa da grande ofensiva neoliberal restauradora. Primeiro, o ingresso da alta classe média como força social ativa e militante no processo político, por intermédio das grandes manifestações de rua. Segundo, fato que embaralhou a divisão de campos que perdurou na política brasileira até 2014, a gradativa deserção da grande burguesia interna da frente neodesenvolvimentista. Ao longo do ano de 2015, diversas associações empresariais que apoiavam os governos do PT foram, segundo levantamento que estamos realizando, passando para o campo neoliberal ortodoxo. O caso mais importante e notório é o da Fiesp, que, após apoiar os sucessivos governos do PT, tornou-se a vanguarda do golpe institucional no meio empresarial. Terceiro, o recuo passivo do governo Dilma diante da ofensiva restauradora. A frente neodesenvolvimentista entrou em crise e, com ela, o governo que a representava.

A democracia na encruzilhada
Luis Felipe Miguel

O golpe de 2016 marca uma fratura irremediável no experimento democrático iniciado no Brasil em 1985. Ainda que com limitações e contradições, a ordem balizada pela Constituição de 1988 garantia a vigência das instituições mínimas da democracia liberal: o voto popular como meio necessário para a obtenção do poder político e o império da lei. A derrubada da presidente Dilma, mediante um processo ilegal, sinalizou que tais institutos deixaram de operar e, por consequência, o sistema político em vigor no país não pode mais receber o título de "democracia" – mesmo na compreensão menos exigente da palavra.

"Democracia" é um conceito em disputa. À esquerda, exigimos um regime que conceda maior autoridade efetiva às pessoas comuns, que realize de maneira mais plena o ideal normativo da igualdade política. Também entendemos que há um vínculo forte entre as condições materiais de vida e a possibilidade de ação política efetiva. E questionamos o insulamento das práticas democráticas a um espaço social restrito, observando que não há democracia efetiva se não são desafiadas as hierarquias presentes nos locais de trabalho ou na esfera doméstica. Em suma, tendemos a colocar adjetivos nas democracias (limitadas, restritas, formais) que vigoram na maior parte do mundo ocidental.

32 | Por que gritamos golpe?

Para o pensamento mais conservador, tais limites são inevitáveis e mesmo necessários. A democracia é sobretudo um procedimento de legitimação da autoridade política, por meio do voto popular. Em algumas narrativas, como a de Anthony Downs, a necessidade de obtenção da maioria eleitoral garante automaticamente que os mandatários serão fiéis cumpridores da vontade popular. Em outras, como a de Giovanni Sartori, o modelo permite que a elite política controle o governo com competência sem se autonomizar do restante da sociedade. E em outras, ainda, como a de Joseph Schumpeter, tudo não passa de um ritual desprovido de outro significado além da obtenção do consentimento dos governados e, portanto, da redução dos custos da dominação.

Mesmo nessa visão minimalista, a democracia exige isso: o consentimento dos governados por meio do voto. Podemos partir daí e querer mais, ou julgar que esse procedimento esgota a possibilidade da própria democracia, mas ele está sempre presente. O impedimento da presidente, contudo, sem crime de responsabilidade claramente identificado, em afronta aberta às regras estabelecidas, marcou a ruptura do entendimento de que o voto é o único meio legítimo de alcançar o poder. Foi violado um dos requisitos básicos que um autor liberal, Robert Dahl, apresentou para a democracia eleitoral: o princípio da *intercambialidade*, que, na prática, significa que nenhum grupo ou indivíduo tem poder de veto sobre a maioria gerada nas urnas.

O que o caso brasileiro ilumina é o fato de que, mesmo limitada e indigna de seus ideais mais elevados, a democracia incomoda às classes dominantes. Afinal, se o consentimento da maioria se torna condição para o exercício do poder, pode ser que o interesse dessa maioria se faça ouvir também.

Os mandatos do Partido dos Trabalhadores foram ciosos dos limites que esse arranjo institucional impunha. Entenderam que era necessário cuidado ao mexer com os privilégios dos grupos mais poderosos; na verdade, assumiram que eles deveriam ser acomodados, não afrontados. Assim, a elite política tradicional foi incorporada ao projeto de poder petista, que loteou generosamente o Estado brasileiro. O capital financeiro manteve lucros crescentes. O dinheiro público cevou as grandes corporações, seja pelo investimento maciço em obras, seja por meio dos bancos estatais dedicados ao fortalecimento dos nossos capitalistas. Como garantia de suas "intenções sérias", o PT no poder trabalhou ativamente para desmobilizar os movimentos sociais que poderiam pressionar por transformações mais profundas.

A conciliação petista teve como um de seus elementos – não o mais importante, mas nem por isso insignificante – a adaptação ao *modus operandi* da política brasileira, baseado no aparelhamento do Estado para fins privados e na corrupção. O deputado Miro Teixeira, que integrou o primeiro ministério de Lula, contou em entrevista ao jornal *Folha de S.Paulo*[1] que no início foi discutido se a sustentação parlamentar do governo seria obtida por meio de negociação programática ou, como ele disse eufemisticamente, "por orçamentos". Venceu a segunda opção.

É difícil recusar a conclusão de que a corrupção provavelmente foi mais efetiva do que seria discutir projetos com o Congresso. Mas a compra de apoio abriu um flanco fácil para a mobilização dos setores conservadores, que singularizam PT e esquerda como únicos culpados pelos problemas éticos da política brasileira. Ao mesmo tempo, seja por inexperiência, seja pela permanência de um compromisso moral, os governos petistas não foram capazes de sustar as investigações, como faziam seus antecessores; ao contrário, reforçaram os aparatos de controle do Estado. Com a ascensão de um grupo altamente adestrado e ideologizado de promotores e juízes, em parceria deliberada com a grande mídia, estava montado o cenário para a criminalização do petismo (e da esquerda).

Não se trata de rechaçar toda a experiência petista, repetindo o mantra "conciliação de classes não dá certo", como fazem alguns. A questão é: como promover transformações verdadeiras, partindo das circunstâncias reais que nos cercam? Lula e o PT frustraram aqueles que ansiavam por mudanças mais profundas e mais aceleradas, mas não se pode negar que reduziram a miséria, colocaram na universidade pessoas que antes não passavam nem na porta, levaram luz elétrica para vilarejos pobres do interior, estenderam direitos trabalhistas a grupos que não os tinham. Tudo com problemas e contradições, mas está aí. O intelectual radicalizado pode ficar sonhando, entre um gole de *scotch* e outro, com "*la révolution catastrophique*", como dizia Sorel, mas as classes dominadas não ganham nada se apostarem todas as suas fichas nesse evento tão longínquo e improvável. A conciliação de classes não dá certo, é verdade, mas o que podemos esperar hoje da guerra de classes, travada em condições tão desiguais?

A força e os limites do lulismo nascem da mesma fonte, que é seu pragmatismo, seu extremo sentido de possibilidade. A experiência petista não pode ser descartada; antes, precisa ser entendida e servir de base para novas soluções, que evitem seus equívocos.

---

[1] Ver Leonardo Souza, "Seria útil se Cunha renunciasse, afirma deputado federal Miro Teixeira", *Folha de S.Paulo*, 20 jul. 2015; disponível online.

34 | Por que gritamos golpe?

A revolta canalizada pelas elites contra os governos petistas, apesar de todo o esforço conciliatório, revela que algum limite foi ultrapassado, talvez porque o que o PT promoveu foi uma *acomodação*, isto é, suas lideranças e suas bases foram de fato incorporadas – respectivamente, com a ocupação de espaços no Estado e com políticas de governo em favor dos mais pobres. Mas a tolerância das classes dominantes brasileiras em relação à democracia formal parece ir muito pouco além da concessão do sufrágio universal. O povo até pode votar, mas que os tomadores de decisão levem em conta minimamente os interesses das classes populares já é motivo para escândalo.

É possível identificar, então, um componente material e outro "simbólico" para a inconformidade com os governos petistas. A redução da miséria afeta uma vulnerabilidade social que é funcional para largos setores do capital. O quanto a pujança do "agronegócio", por exemplo, não depende da oferta de mão de obra pauperizada no campo brasileiro? Uma redução continuada da miséria colocaria em risco tal situação. E já atingia as classes médias – a massa de manobra da direita –, privadas do trabalho doméstico de que sempre desfrutaram a preço vil.

O outro componente, "simbólico", não é, na verdade, desprovido de materialidade. Os anos petistas foram acompanhados por uma sensação de que hierarquias seculares estavam sob ameaça. As mulheres, as lésbicas, os *gays* e as travestis, as populações negras, as periferias: grupos em posição subalterna passaram a reivindicar cada vez mais o direito de falar com sua própria voz, a questionar sua exclusão de muitos espaços, a reagir à violência estrutural que os atinge. Políticas de governo apoiaram tais movimentos, desde as cotas nas universidades até o financiamento para a produção audiovisual periférica. Os privilegiados perderam a sensação de que sua superioridade social era natural, logo inconteste, e perderam também a exclusividade na ocupação de posições de prestígio.

Para eles, o risco da democracia é esse: ela abre uma brecha para que se ouçam vozes silenciadas, para que o jogo das elites seja bagunçado. E, como o direito de voto e a norma formal da igualdade política obtêm grande força normativa, reverter a democracia é tarefa custosa. O golpe político, no Brasil, foi desferido a jato. Mas sua preparação levou anos, com o trabalho de deslegitimação dos governos eleitos, levado a cabo pela mídia, pelos institutos privados destinados à disputa ideológica e pelos movimentos pretensamente "espontâneos", mas que, como já está comprovado, foram financiados e treinados por fundações estadunidenses.

Para nós, o risco é outro. A competição eleitoral, à qual se resume muitas vezes o componente democrático das sociedades liberais, funciona como uma espécie de buraco negro da disputa política, engolindo tudo o que existe à sua volta.

As condições da disputa eleitoral são adversas, dados o poder do dinheiro e da mídia e a inércia das hierarquias sociais. O campo político filtra as formas de discurso e de ação, privilegiando as que se afastam daquelas próprias dos grupos dominados, como demonstrou Pierre Bourdieu em sua obra. O aparelho de Estado é programado para resistir a mudanças, deslocando o poder de veto de um de seus componentes para outro – por exemplo, do Executivo para o Legislativo, de uma casa do Congresso para outra, depois para o Judiciário, enfim para as Forças Armadas –, conforme necessário, segundo mostrou, entre outros, Nicos Poulantzas. Ainda assim, a cada quatro anos todas as energias e esperanças se concentram nas eleições.

A disputa eleitoral funciona, muitas vezes, como solução para reconstruir a dominação ameaçada por práticas contestatórias. A crise de legitimidade da Argentina em 2001, aquela do bordão *"Que se vayan todos"*, deságua nas eleições de 2003. Muitos grupos envolvidos em ações políticas populares inovadoras, como as *asambleas barriales* ou os *cortes de ruta*, passam a privilegiar a disputa eleitoral. Elege-se um presidente reformista, Néstor Kirchner; uma dúzia de anos depois, com a vitória de um projeto reacionário, não há mais quase nada da capacidade de resistência nas ruas que se via antes. Ou o caso da Espanha, em que a opção por transformar um movimento cidadão num partido eleitoral já mostra seus efeitos. A eleição promove a ilusão de que o conflito político se resolve num único dia e que, pelo mandato popular, se alcança algo, o "poder", que, uma vez conquistado, permite que todos os problemas sejam solucionados.

Nunca dá certo, mas continuamos tentando. De fato, no século XVIII, Montesquieu já dizia que as eleições devem ser frequentes, para que o povo nunca perca a esperança de, um dia, escolher governantes que não sejam corruptos.

O sufrágio universal deslegitima simbolicamente formas mais ofensivas e eficazes de pressão das classes populares, como anotava Albert Hirschman. E a democracia, ao se realizar em determinadas instituições, cristaliza uma forma de dominação. Com frequência, o pressuposto tácito da discussão é a ideia de que democracia e dominação são antípodas. Onde há democracia não pode haver dominação; logo, se estamos discutindo no contexto de um ordenamento político democrático, a categoria "dominação" se torna inútil. Mas qualquer institucionalidade institui seu próprio regime de dominação. Afinal, "relações democráticas ainda são relações de poder e, como tal, são

36 | Por que gritamos golpe?

continuamente recriadas", como disse Barbara Cruikshank[2]. Isso porque não falamos de uma democracia em abstrato, mas de regimes concretos, que organizam formas de distribuição de poder, de atribuição de direitos e de regulação da intervenção política. São "tecnologias da cidadania", que constituem e regulam comportamentos e que indicam que, como qualquer outra forma de governo, "a democracia tanto permite quanto constrange as possibilidades da ação política" – para ficar novamente com Cruikshank[3].

Essa institucionalidade concreta se manifesta numa sociedade também concreta, com suas assimetrias no controle de recursos. A ordem democrática não anula a efetividade da dominação que se estabelece em espaços considerados pré-políticos, como o mundo do trabalho e a esfera doméstica; pelo contrário, há uma forte tendência a que essas formas de dominação estejam espelhadas no âmbito da política. E se espelham também nos pressupostos que constroem a institucionalidade vigente.

A interinidade de Michel Temer comprovou aquilo que já se antecipava. O governo avança, o mais rápido que pode, na agenda de retrocesso que se deseja impor ao país – entrega do patrimônio público, avanço do fundamentalismo, retirada de direitos trabalhistas, criminalização do pensamento crítico, recuo da legislação ambiental, arbitrariedade escancarada da força policial, cortes nas políticas sociais, tributação regressiva. O Supremo Tribunal Federal, suposto guardião da Constituição, permanece inerte; na verdade, são volumosas as evidências de que muitos de seus integrantes foram partícipes da trama para afastar a presidente.

Quando 2018 chegar, provavelmente teremos eleições, como previsto. Talvez até ganhe um candidato mais à esquerda, dada a incompetência crônica da direita brasileira para produzir uma opção viável. Parecerá que a democracia foi restaurada. Mas o retrocesso desses anos não será apagado. E a tutela dos poderosos sobre a vontade expressa nas urnas terá sido reafirmada com enorme clareza.

Essa é a armadilha da democracia limitada que temos: incentiva que a luta política seja sempre canalizada para as eleições. Mas se há algo que os últimos acontecimentos deixam claro é que não há transformação possível sem investimento na luta extrainstitucional. O Estado capitalista não é neutro, nem sua lei, nem seus aparelhos. A pressão pela mudança pode até ingressar

---

[2]   Barbara Cruikshank, *The Will to Empower: Democratic Citizens and Other Subjects* (Ithaca, Cornell University Press, 1999), p. 18.

[3]   Ibidem, p. 2.

nele, introduzindo contradições, mas só tem condições de triunfar se estiver fortemente ancorada do lado de fora.

Assumindo que, na atual quadra histórica, é improvável a instauração de uma ditadura aberta no Brasil, a encruzilhada da democracia é esta. Podemos ficar com uma democracia menos que formal – uma vez que mesmo os institutos básicos do ordenamento democrático liberal, a competição pelo voto e o império da lei, só vigoram dentro de limites estreitos, vinculados à permanência de uma sociedade altamente hierarquizada e desigual e de nossa posição periférica na divisão mundial do trabalho. Ou podemos buscar uma democracia que se construa no enfrentamento dos aparatos vigentes de reprodução das opressões. Como avançar nesse programa, sem abrir mão do realismo político: essa é a questão que está colocada.

Por que o golpe acontece?
Ciro Gomes

O Brasil vive no ano de 2016 uma das mais graves ameaças à sua democracia desde o fim do período ditatorial militar. Uma série de erros do governo federal – aliada à compulsão pela corrupção de grande parte do Congresso Nacional, à divisão resultante do resultado das eleições de 2014, à tentativa de barrar as investigações da operação Lava Jato e da Polícia Federal e aos interesses do capital especulativo e de interesses internacionais – foi o motor para o desencadeamento de um golpe contra a soberania popular das urnas.

Um breve resgate histórico da democracia brasileira nos assombra quando percebemos que no, pós-guerra, somente três presidentes democraticamente eleitos (Juscelino Kubitschek, Fernando Henrique Cardoso e Luís Inácio Lula da Silva) terminaram seus mandatos. Ou seja, no Brasil, a regra é o golpe e o autoritarismo.

Para entendermos a razão da presidenta Dilma Rousseff ser alvo dessa ação coordenada e golpista, capitaneada por seu vice-presidente, precisamos analisar primeiro as razões pelas quais somente três presidentes conseguiram terminar seus mandatos. A pista está no trato com a população e na boa relação com os governadores. Juscelino, FHC e Lula não perderam, durante seus mandatos, a capacidade de interlocução com o povo e, ao mesmo tempo,

40 | Por que gritamos golpe?

mantiveram boa relação com os governadores. Isso não significa, no entanto, que não passassem por crises ou deixassem de sofrer tentativas de golpe. Entretanto, o acerto em algumas de suas políticas foi o que manteve a estabilidade necessária para a manutenção de seus mandatos até o fim.

Já a presidenta Dilma cometeu gravíssimos erros, que fizeram com que ela perdesse a interlocução e o apoio popular que a levaram ao segundo mandato e se desestabilizasse com os governadores. Junto à população, o que se reuniu contra ela foram basicamente três grupos: aqueles que votaram contra ela nas últimas eleições, por não compreenderem seu governo como representante de seus próprios interesses; os que se sentiram enganados pela propaganda de sua eleição, uma vez que, na sequência da vitória, Dilma aplicou, por exemplo, elevação de tarifas, como as de luz elétrica e gasolina, além de desenvolver uma política econômica extremamente conservadora, que beneficiou mais aos bancos que ao povo; e os que foram afetados diretamente pela novelização moralista dos escândalos de corrupção, que foram originados também pela contemporização da presidenta com a ala mais suja da política nacional.

Em relação aos governadores, a presidenta se cercou de ministros e auxiliares que haviam sido derrotados nas eleições estaduais, além de deixar catorze estados brasileiros quebrarem, como Rio Grande do Sul, Minas Gerais e Rio de Janeiro. Com essa política desastrada, não havia outro resultado se não uma queda vertiginosa de sua aprovação.

Mas há também de se esclarecer que o golpe não foi originado apenas no governo indefensável da presidenta Dilma. Com o afastamento dela do cargo, ficaram evidentes três pulsos que orquestraram e aplicaram o golpe contra a nossa democracia. O primeiro foi da banda podre da nossa política, que deseja obstruir a justiça barrando a operação Lava Jato, operação essa que revela as entranhas da corrupção no Brasil. O segundo se destina a reter todos os recursos destinados aos direitos sociais para colocá-los a serviço do pagamento dos juros da dívida pública. Neste caso estão, por exemplo, o tabelamento dos gastos com saúde e educação, que evidentemente afetarão a vida da grande massa da população brasileira, em favor de menos de 10 mil famílias que vivem do capital especulativo. E, por fim, está o terceiro pulso, que é motivado pela tentativa de destruir o esforço de afirmação da soberania nacional entregando petróleo e outras riquezas para o capital estrangeiro. Esse caso ficou evidente com a aprovação no Senado Federal da mudança da regra de partilha do Pré-Sal e com o discurso de posse do novo diretor da Petrobras, Pedro Parente, em 2 de junho de 2016, que declarou não ver necessidade do Brasil ser detentor da exclusividade de exploração.

Todos esses pontos anteriormente elencados formaram o caldeirão que levou à prática do golpe. No entanto, por mais que a população estivesse insatisfeita com os rumos da economia do país, por mais que os políticos corruptos quisessem barrar a operação Lava Jato e por mais que os interesses internacionais incentivassem a ruptura democrática, não havia nenhum motivo legal para a aprovação do impeachment da presidenta Dilma. O impeachment é o último recurso aplicado pela Constituição contra um mandato democraticamente eleito. Não foi apresentado nenhum crime de responsabilidade dolosamente cometido pela presidenta, uma vez que as chamadas pedaladas fiscais não passam de manobras fiscais que, por mais que sejam uma anomalia, não estão previstas na Constituição como passíveis de crime de responsabilidade. O que se formou, então, para a garantia da aprovação do impeachment e, portanto, do golpe, foi um consenso entre o presidente (afastado) da Câmara dos Deputados, Eduardo Cunha, que é investigado e réu por desviar mais de R$ 500 milhões do orçamento público em contas na Suíça, com o vice-presidente Michel Temer, que também tem contra si uma série de denúncias e investigações por corrupção, e com todo o *status quo* do PMDB, do PSDB e de outros partidos que viram no golpe a chance de se livrarem de acusações e assaltarem o poder a fim de desenvolver seus interesses próprios, mesmo que estes tenham sido derrotados nas urnas.

O resultado desse triste e delicado momento brasileiro, caso não seja revertido, será a ameaça da nossa jovem democracia pelos próximos vinte anos. O fato de grupos golpistas, motivados por interesses particulares, conseguirem atingir o maior grau da nossa institucionalidade democrática, que é a Presidência da República, colocará em risco todo aquele ou aquela que, apesar de eleito pela população, se colocar contra os objetivos desses grupos minoritários e autoritários.

É importante sempre lembrar para a população brasileira que impeachment não é remédio para governo ruim. O que devemos fazer é garantir a ordem democrática e exigir, cobrar dos governantes que realizem aquilo para o qual foram eleitos. Governo ruim passa ligeiro, mas romper com a democracia significa colocar em risco nosso país por muitos anos a frente.

O triunfo da antipolítica
Murilo Cleto

Ainda reverberavam fortemente as declarações homofóbicas do então candidato à Presidência da República Levy Fidelix durante o debate eleitoral promovido pela TV Record em 2014, quando o historiador Clóvis Gruner recuperou Hannah Arendt para discutir o sentimento, crescente e transbordante no Brasil, do horror à política. A menção não era gratuita: num texto assinado em 1950, Arendt definiu a política como o lugar de *rostos, multiplicidades, diferenças* e *intervalos*.

Nas palavras de Gruner,

> rostos porque a política não é feita de abstrações, mas de corpos que falam e agem. *Multiplicidades* porque não se trata de homogeneizar os sujeitos políticos, mas de fazer explodir singularidades. A multiplicidade faz aparecerem as *diferenças* e os *intervalos*: a política faz-se também na reciprocidade entre os diversos, que constituem relações naqueles interstícios e intervalos que os aproximam sem, por isso, anular-lhes a diferença.

Ainda segundo o autor, em Arendt, "a política baseia-se na 'pluralidade dos homens'; ela deve organizar e regular o convívio de e entre

44 | Por que gritamos golpe?

diferentes, não de iguais. Razão porque, para Arendt, o 'sentido da política é a liberdade'"[1].

A definição de Arendt tem uma referência: a Ágora, na Grécia Antiga. E não é preciso ir muito longe para atestar que a democracia brasileira caminha na direção oposta. Primeiro porque o modelo representativo acabou por delegar a políticos profissionais as decisões sobre a vida dos cidadãos. E, segundo, porque o sistema de acórdãos do presidencialismo de coalizão reforçou a percepção de que as instituições estão tomadas pela corrupção.

Essa foi uma das equações que levaram multidões às ruas em 2013. Nas Jornadas de Junho, tudo mudou. A aprovação da classe política desmoronou. E não restam dúvidas de que foi a direita quem soube mobilizar melhor os afetos ali depositados. Isso em grande parte porque tem se apropriado com mais eficiência, já há algum tempo, daquilo que Richard Sennett chamou de *tiranias da intimidade*.

Resultado de um longo processo iniciado pela modernidade e que parte do pressuposto de que o espaço privado é infinitamente superior ao público – contaminado em demasia pela teatralidade –, as tiranias da intimidade encontraram no pós-guerra um momento crucial de desenvolvimento. Não apenas o culto às celebridades como também a política institucional foi alimentada por uma malha de exposição da vida privada, potencializada e dinamizada pelas redes sociais a partir do início do novo século.

E ela própria, a política, passou a ser vigorosamente instrumentalizada pela moral. A sessão que votou o impeachment na Câmara dos Deputados evidencia com força esse paradigma do contemporâneo. Pela esposa, pelos filhos, pela neta: o movimento, não por acaso, é de dentro para fora.

Vem daí a insistência de repórteres que questionam a vítimas de grandes tragédias o que elas *sentem* a seu respeito. Porque a fala, se carregada de intimidade, é revestida de uma verdade comumente não identificável na vida pública convencional. A projeção política de figuras folclóricas nos últimos anos, e que há pouco eram motivo apenas de chacota, está indissociavelmente relacionada a esse princípio. Quando condenou o uso do "aparelho excretor" para práticas sexuais, Levy Fidelix chocou, mas também encontrou abrigo em muitos eleitores que não se sentem representados pelos maiores partidos por entenderem que eles estão todos tomados pela "hipocrisia".

---

[1] Ver Clóvis Gruner, "O horror à política", *Chuva Ácida*, 1º out. 2014, disponível em: <www.chuvaacida.info/2014/10/o-horror-politica.html>.

Temer sabia desse quadro complexo quando assumiu a presidência. Desde antes, seu discurso se anunciou como pacificador e apolítico. Interino, fez questão de repetir em declarações públicas que não tem a menor intenção de concorrer à presidência em 2018 e que sua "missão" é tirar o país da crise em que se encontra. E, para isso, diz estar preparado para adotar "medidas impopulares".

Há uma porção de verdades ocultas nessa retórica. A primeira – e mais importante delas – é que Temer usa a rejeição dos brasileiros à política para implementar uma agenda que jamais passaria pelo crivo das urnas e que nem o PSDB teve coragem de expor em seu programa de governo. É como se as medidas de austeridade, que envolvem cortes em programas sociais e a desvinculação constitucional de gastos mínimos com saúde e educação, estivessem acima da política, como o mal necessário da tal "ponte para o futuro", como o PMDB batizou o documento decisivo para que o empresariado decidisse subsidiar a deposição de Dilma, que nos leva, na melhor das hipóteses, para os anos 1990.

Nos primeiros dias do novo governo, um grupo de empresários chegou a sugerir a Temer que fizesse o mal "bem rápido" e o bem "aos poucos". Correligionários apostaram todas as fichas no discurso de que o presidente interino deveria ser duro com os movimentos sociais resistentes às medidas. E ele mesmo se mostrou bastante incomodado com as insinuações de que não sabia governar. Durante o anúncio do projeto de revisão da meta fiscal, bateu na mesa para dizer, irritado, que não responderia mais a críticas e insinuações de incompetência, recorrendo à experiência como secretário de Segurança Pública de São Paulo para dizer que já lidou com bandidos e indicar assim que a política não é, para ele, um problema.

O *slogan* "Ordem e progresso" foi escolhido com precisão cirúrgica para nortear as ações e a narrativa do novo governo. Recuperado da República da Espada, ele evoca o imaginário cientificista do século XIX que, de inspiração positivista, conferiu ao discurso oficial à direita o *status* de técnico e encerrou os demais no campo da "ideologia" – conceito marxista que teve o sinal invertido para neutralizar forças dissonantes da norma –, autorizando de antemão a disposição de Temer em enfrentar movimentos sociais para pôr em andamento sua agenda de austeridade seletiva. Não por menos nomeou para o Ministério da Justiça o responsável por uma das polícias militares mais letais do mundo.

O novo ministro das Relações Exteriores, José Serra, foi um dos mais incisivos nessa estratégia. Anunciou que o Itamaraty assumiria agora uma postura mais liberal e não "ideológica" – ignorando o pressuposto de que a política é

46 | Por que gritamos golpe?

feita de ideias e, portanto, de escolhas. No discurso de posse, o novo ministro da Cultura, Marcelo Calero, por sua vez, endossou e adaptou o discurso à pasta. Também há muito de anti-intelectualismo, ou o que Sérgio Rouanet chamou de "novo irracionalismo brasileiro", nessa rejeição à política. Difundida amplamente nos últimos anos, a noção de que os espaços tradicionalmente voltados à produção e à circulação de conhecimento foram cooptados pelo PT no governo estimulou a formação de redes de informação alternativa que, em vez de reforçarem o papel do intelectual – como fundado por Émile Zola no fim do século XIX, desconstruindo sentenças por meio da razão –, acabaram por destruí-lo.

Entre todas as outras, uma faixa chamou a atenção nas manifestações pelo impeachment em 2015: de portador de uma das mais valiosas contribuições para a educação no mundo, Paulo Freire se tornou um "doutrinador marxista". No mesmo dia em que o vídeo de um estupro coletivo no Rio de Janeiro alarmou o país, o ator Alexandre Frota e Marcelo Reis, líder do movimento *Revoltados Online*, levaram ao novo ministro da Educação uma proposta de criminalização de práticas "ideológicas" em sala de aula. Não parece ser apenas mais uma ironia do destino que o próprio Frota tenha confessado certa vez, num programa de TV, o estupro de uma mãe de santo. Para as diferentes facções do movimento "Escola sem Partido" ali representadas, as questões de gênero (compreendido em sua dimensão social) e a cultura do estupro não têm lugar no ensino.

Marisa Lobo, a psicóloga que defende a "cura gay", comemorou a escolha do ministro da Educação. Noticiando o encontro com Ricardo Barros, da Saúde, tranquilizou seus leitores quanto à nova postura do MEC diante do que chama, junto aos pares incautos, de "ideologia de gênero": "Isso já acabou. O MEC agora é do DEM".

Substituindo o conhecimento resultado do intelectualismo ou da "ideologia", o novo governo apostou alto na reprodução de ideias feitas e estrategicamente difundidas para sinalizar o rompimento com o anterior. Osmar Terra, ministro do Desenvolvimento Social, deu rapidamente a opositores do programa Bolsa Família duas declarações que, a despeito de todos os estudos já feitos, sugerem que seus usuários não trabalham. Temer foi efusivamente aplaudido ao anunciar o corte de 4 mil cargos comissionados, ainda que, sabe-se, a medida seja inócua – sobretudo para quem apoiou a aprovação na Câmara, semanas depois, da criação de mais de 14 mil novos cargos.

A negação da política foi também o que motivou Temer a rechear a Esplanada dos Ministérios de homens brancos e velhos, numa espécie de volta às origens do Brasil. Partidários e analistas políticos simpáticos à nova gestão justificaram dizendo que o presidente escolheu simplesmente os melhores, endossando as declarações de que este seria o governo da meritocracia, como havia declarado Romero Jucá ao *Roda Viva* da TV Cultura, em 25 de abril de 2016. Mas Temer, mesmo com os baixíssimos índices de popularidade, não contava com tamanha resistência de uma sociedade muito mais diversa do que a que foi vendida como uma unificada nação brasileira. A repercussão negativa da ausência de representatividade feminina no primeiro escalão foi tamanha que provocou uma constrangedora "caça a mulheres" que pudessem ocupar ao menos o segundo. E, para uma das secretarias nacionais, pelo menos cinco mulheres recusaram publicamente o convite.

E não foi só isso. A sede para atender aos interesses que substanciaram o impeachment provocou um verdadeiro festival de recuos. Primeiro, antes mesmo de assumir, Temer anunciou que diminuiria drasticamente o número de ministérios. Pressionado pelos partidos da base, recuou. Mas, criticado pela imprensa, desistiu do recuo. Acabou com o Ministério da Cultura, acreditando, com razão, que com isso atenderia positivamente às expectativas dos mais conservadores, que veem a pasta como uma máquina de "propaganda petista". Diante da péssima repercussão, voltou atrás.

A equipe de ministros "notáveis", como prometida pelo ainda vice-presidente, acabou sendo composta por velhas figuras conhecidas da política fisiológica. O novo ministro da Justiça defendeu, na *Folha de S.Paulo*, mudanças no processo de escolha para o próximo procurador-geral da República[2]. O Ministério Público protestou, e Temer o desautorizou em público. Algo semelhante ocorreu com Ricardo Barros, o ministro da Saúde, quando, nos primeiros dias de governo, propôs a revisão do tamanho do SUS. Não deu tempo nem de recuar, e a imprensa noticiou o financiamento da sua campanha em 2014 por planos de saúde privados.

Temer também não contava com o homem-bomba que arruinou de vez a imagem de quem se anunciou como apenas "uma consequência da Constituição". Sérgio Machado, presidente da Transpetro, expôs o verdadeiro projeto por trás do impeachment, revelado sem querer por Romero Jucá, ministro do Planejamento e braço direito do presidente: conter a operação Lava Jato. Pressionado pela opinião pública, Temer não o demitiu. Foi Jucá quem pediu "licença", um eufemismo para exoneração do cargo.

O desespero de Jucá tem um nome, além, é claro, da cadeia: as eleições. Nas gravações feitas por Machado, o senador peemedebista dizia: "[...] todo mundo,

---

[2]   Ver Mônica Bergamo, "Nenhum direito é absoluto e país precisa funcionar, diz ministro da Justica", *Folha de S.Paulo*, 16 maio 2016; disponível online.

48 | Por que gritamos golpe?

todos os políticos [...] estão fodidos, entendeu? [...] TSE, se cassar [...] e tiver outra eleição, nem Serra, nenhum político tradicional ganha essa eleição, não". Ele tem razão. O afastamento de um governo profundamente manchado pela corrupção para dar lugar a outro em condições ainda mais comprometedoras tende a estimular o sentimento de rejeição à política institucional, fortalecendo em seu interior personagens da direita mais reacionária. Na pesquisa Datafolha de 9 de abril de 2016, última antes da votação pela admissibilidade do impeachment pela Câmara, Jair Bolsonaro, atualmente o maior representante da antipolítica nacional, tinha 8% das intenções de voto em dois dos cenários simulados pelo instituto. Entre os mais ricos, o deputado fascista é o primeiro colocado em todas as projeções.

Bolsonaro passou a receber boa parte dos votos antes depositados aos tucanos. Implicado na Lava Jato, Aécio Neves despencou. Geraldo Alckmin ainda não emplacou como figura de projeção nacional. E ficou muito difícil para o PSDB, principal alternativa da oposição ao PT, explicar a participação num governo que ele mesmo tentava, até ontem, derrubar na justiça.

Por isso é perfeitamente compreensível o alarmante quadro de confiança dos brasileiros em suas principais instituições. Segundo levantamento encomendado pela Ordem dos Advogados do Brasil (OAB), no ano passado 91% dos brasileiros diziam não confiar nos partidos políticos. E, a despeito do estardalhaço em torno da aprovação da presidenta eleita, a do Congresso Nacional tem sido ainda menor.

É no interior desse vácuo que surgem os salvadores da pátria, impostores moralistas e exterminadores de rostos, multiplicidades, diferenças e intervalos de uma democracia ainda em formação e mais uma vez atacada em nome de um projeto oligarca de poder.

De acordo com o Instituto Brasileiro de Opinião Pública e Estatística (Ibope), somente 40% dos brasileiros concordavam, durante a evolução do processo de impeachment, que a democracia é preferível a qualquer outra forma de governo. Metade da população, 49%, se dizia "nada satisfeita" com o funcionamento da democracia no país.

Donald Trump, o atual candidato republicano à presidência dos Estados Unidos, e toda a geração de políticos que nasceram justamente do horror à política estão aí para mostrar que as alternativas à crise podem sair mais caras do que ela própria. E, mais importante, que, se a política não se reinventar, vai ser atropelada mais uma vez pela barbárie.

De saída do Ministério do Planejamento, graças aos constrangimentos causados ao novo governo, Romero Jucá disse que não tinha "nada a temer". Não mesmo. Nós é que sim.

Jabuti não sobe em árvore: como o MBL se tornou líder das manifestações pelo impeachment
Marina Amaral

Depois que os protestos contra a alta nas tarifas de ônibus e metrô tomaram o país, em junho de 2013, uma juventude que não costumava se manifestar nas ruas começou a aparecer nos jornais. Os novos integrantes, logo apelidados de "coxinhas" pela juventude de esquerda, repudiavam as bandeiras vermelhas a pretexto de impedir a "partidarização" do movimento, e assumiam o verde-amarelo "de todos os brasileiros". Condenavam os *black blocs* e exaltavam a polícia militar, que reprimira com violência os protestos convocados pelo Movimento Passe Livre. Suas principais bandeiras eram contra a "roubalheira" e contra "tudo isso que está aí", paulatinamente substituídos por um simples "Fora PT".

A imprensa foi atrás de entrevistas com as novas lideranças, sem esclarecer sua origem. Alguns grupos eram fáceis de rastrear, como o Vem Pra Rua, de Rogério Chequer, ligado à juventude do PSDB e ao senador Aécio Neves. Ou o *Revoltados Online*, francamente autoritário, que pedia a volta da ditadura militar enquanto faturava com a venda online de camisetas e bonecos contra o PT. O mais obscuro deles era o Movimento Brasil Livre (MBL), que parecia ter

50 | Por que gritamos golpe?

brotado da terra para assumir a liderança daquele que se tornaria o movimento pró-impeachment nos anos seguintes.

O líder público do MBL, Kim Kataguiri, então um estudante de economia de dezenove anos que fazia sucesso postando vídeos engraçadinhos no portal YouTube, foi alçado à condição de celebridade. De cabelos compridos e barbinha, cultivando uma imagem irreverente, Kim pretendia simbolizar a juventude "que saiu do Facebook para as ruas", apesar da absoluta falta de novidade de suas propostas: liberdade absoluta para o mercado, privatizações, Estado mínimo e o fim das políticas públicas distributivas. Ou seja, o velho neoliberalismo, acrescido de toques "libertaristas" (*libertarians*, em inglês), expressos em faixas com dizeres enigmáticos como "Menos Marx, mais Mises", referindo-se ao economista Ludwig von Mises, da Escola Austríaca, pouco conhecido até entre os acadêmicos.

A mídia não questionou a origem do movimento, descrito como espontâneo, tampouco a autenticidade da liderança de Kataguiri, hoje colunista da *Folha de S.Paulo*. Mas algumas informações comprometedoras sobre o MBL começaram a circular nas redes. O principal "boato" era de que o movimento era patrocinado pelos irmãos Koch, megaempresários americanos do setor petrolífero identificados com a extrema direita e que estariam interessados em desestabilizar o governo Dilma para se apossar do Pré-Sal. Pura paranoia da esquerda, respondiam nas redes os garotos do MBL, que se diziam financiados por pessoas físicas e faziam piadas sobre a ligação com os Koch.

Em março de 2015, a agência Pública passou a investigar a origem do MBL, que alcançaria seu auge nas manifestações daquele mês pedindo o impeachment da presidente Dilma Rousseff. Três meses depois, a reportagem "A nova roupa da direita"[1] comprovaria o laço entre os irmãos Koch e o movimento de Kataguiri. Por meio de entrevistas e documentos, a reportagem revelava que o MBL havia sido gerado por uma rede de fundações de direita sediada nos Estados Unidos, a Atlas Network, da qual fazem parte onze organizações ligadas aos irmãos Koch, como a Charles G. Koch Charitable Foundation, o Institute of Human Studies (IHS) e o Cato Institute. Em duas décadas, essas fundações haviam despejado 800 milhões de dólares na Atlas Network, conforme informações obtidas na série de Formulários 990 entregues ao IRS (a Receita Federal americana). Isso sem contar as despesas com os *fellowships* e os cursos para formação de lideranças de estudantes, principalmente da América Latina e da Europa Oriental, nos Estados Unidos, realizados

---

[1] Ver Marina Amaral, "A nova roupa da direita", *Pública*, 23 jun. 2016; disponível online.

em parceria entre a Atlas e as fundações "liberais ou libertárias" que compõem a rede. Nos Estados Unidos, os *libertarians* têm posições mais avançadas em relação aos costumes do que a direita tradicional e são ainda mais radicais na defesa do livre mercado.

A Atlas é a mentora da Students for Liberty (SFL), uma organização estudantil internacional que cresce em ritmo espantoso. Desde 2008, quando foi fundada, seu orçamento passou de pouco mais 35 mil dólares para mais de 3 milhões de dólares em 2014, mais de um quarto deles proveniente das fundações dos Koch e da Atlas Network, que declarou gastos de 11,3 milhões de dólares em 2013. O Brasil passou a fazer parte da Students for Liberty em 2012, durante um seminário promovido pela Atlas Network em Petrópolis (RJ), e tem dois representantes no *board* da organização, composto de dez integrantes.

Os rapazes da Estudantes pela Liberdade (EPL) já tinham uma estratégia definida para participar dos protestos, como revelou à Pública o publicitário mineiro Juliano Torres, diretor-executivo da organização. Impedida de participar de manifestações pela legislação dos Estados Unidos (que proíbe a atuação política das fundações americanas) e sem querer perder o bonde da história, a EPL resolveu assumir um nome fantasia, "uma marca para a gente se vender nas manifestações", como explicou Torres na entrevista. A "marca" era o Movimento Brasil Livre – e Kim Kataguiri, o escolhido para estrelar a campanha do MBL nas ruas.

Ao contrário dos diretores do EPL, como Torres e Fábio Ostermann, um cientista político gaúcho que assessora o também jovem deputado estadual Marcel van Hatten (PP-RS), Kim não havia feito os cursos de formação de lideranças promovidos pela Atlas. Também não era filho de empresários militantes da direita, como o arquiteto Anthony Ling, filho de William Ling (dono do grupo Évora, um dos patrocinadores do Instituto Millenium, o principal *think tank* da direita brasileira), e financiador da campanha de Van Hatten. O que interessava aos líderes do EPL era a capacidade de Kataguiri de atrair os jovens de classe média nas redes, assim como Fernando Holiday, escalado para o papel de "negro contra as cotas para negros" em debates e entrevistas para TV.

Nas manifestações de março de 2015, os garotos do MBL receberam um visitante ilustre em Porto Alegre. O argentino naturalizado americano Alejandro Chafuen, presidente da Atlas Network, não resistiu a postar uma foto no Facebook abraçado a Fábio Ostermann, ambos de camisa da seleção brasileira, comemorando "o sucesso dos parceiros da Atlas no Brasil", em meio à multidão na capital gaúcha. As manifestações em São Paulo também receberam uma visitante especial, essa sim uma verdadeira celebridade

52 | Por que gritamos golpe?

na internet. A guatemalteca Glória Alvarez, 32 anos, conhecida como @crazyglorita, esteve na Avenida Paulista, com direito a palanque no caminhão do Vem pra Rua em seu périplo pela América Latina, patrocinado por fundações da rede Atlas do Chile à Venezuela, onde a Cedice, que tem Chafuen na vice-presidência, e o Instituto Cato, ligado aos Koch, financiam a oposição aos chavistas desde 1999.

Dias antes, Glorita havia participado de um seminário no Instituto Fernando Henrique Cardoso e de uma entrevista no programa de TV apresentado por Danilo Gentili, adepto entusiasta do movimento pró-impeachment e ídolo dos "coxinhas" brasileiros.

Na festa do mate

Glorita, Kataguiri e Alejandro Chafuen foram destaque também no Fórum da Liberdade em Porto Alegre, que se iniciou no dia seguinte às manifestações. O evento, anual, é patrocinado por grandes empresas do estado, como a RBS e a Gerdau, e é considerado o principal fórum dos neoliberais brasileiros. Durante três dias, cerca de 2 mil jovens da PUC-RS, uma das mais caras e melhores universidades do país, ouvem palestras sobre as virtudes do mercado e os pecados do comunismo, identificado com o PT na edição de 2015.

O fechamento do fórum ganhou tom de comício com a aparição "surpresa" de Kim Kataguiri, efusivamente cumprimentado por Chafuen. Subiu ao palco com o deputado estadual Marcel van Hatten, segundo ele o único representante do MBL no Legislativo. Van Hatten, que fez seus cursos de liderança no Acton Institute, controlado pela direita religiosa, jogou para a plateia: "A vanguarda, hoje, não é esquerdista, é liberal. O jovem bem informado vai para as ruas e pede menos Marx, mais Mises. Curte Hayek, não Lenin. Levanta cartazes *hashtag* 'Olavo [de Carvalho] tem razão'".

A miscelânea da "direita pós-moderna", como definiu o professor Adriano Codato, do Observatório de Elites Políticas e Sociais do Brasil, estava exposta no fórum organizado por quatro fundações brasileiras ligadas à Atlas: o Instituto de Estudos Empresariais (IEE), fundado por Willian Ling, pai do jovem Anthony, do EPL; o Instituto Millenium, mantido pela Gerdau, pela Editora Abril e pela Pottencial Seguradora, uma das empresas de Salim Mattar, fundador do Instituto Liberal, representado no evento por Rodrigo Constantino, então colunista da *Veja*; e o Instituto Mises Brasil, presidido por Hélio Beltrão, do grupo Ultra. Completam a lista das organizações brasileiras na rede da Atlas o Instituto Ordem Livre, que já teve Ostermann na presidência, e o Centro Interdisciplicar de Ética e Economia Personalista, ligado ao Opus Dei, que tem no conselho o jurista Ives Gandra, autor do primeiro e controverso parecer sobre a existência de base jurídica para o impeachment da presidente Dilma.

Nesse cenário, o sexagenário carola que preside a Atlas, também ligado ao Opus Dei, rendia-se ao charme irreverente de Glorita, capaz de atrair multidões de fãs para o ideário liberal. "O corpo é a primeira propriedade privada que temos", enunciava a guatemalteca ao defender o direito ao aborto e à liberdade sexual. "Um direitista do século XXI, que já se modernizou, tem de reconhecer que a sexualidade, a moral e as drogas são um problema de cada um; ele não é a autoridade moral do universo", declarou, levando a plateia ao delírio.

Como o senador Ronaldo Caiado (DEM), arcaico líder ruralista que conseguiu levantar a juventude explorando seu repertório de xingamentos a Lula e Dilma, Chafuen sabe que tem de ceder os anéis para não perder os dedos. Na entrevista que concedeu à Pública, explicou a estratégia das fundações americanas que formam os jovens da direita no mundo todo.

> Nosso papel é o poder da nutrição. Esses seres humanos, nós os chamamos de empreendedores intelectuais, pessoas com novas ideias que enxergam soluções e decidem investir seu capital nisso. É como nos negócios. Então damos a eles programas de treinamento, tentamos apoiá-los financeiramente, encorajá-los a ser muito sérios, não muito festeiros. Podemos oferecer algumas diretrizes, novas ideias sobre a sociedade livre, do liberalismo clássico ao libertarismo, de religiosos a ateus, cabe a cada pessoa escolher. Agora a juventude latino--americana deve estar olhando para o Brasil e se perguntando: podemos copiar os brasileiros?

> "E os brasileiros? O que devem fazer?", perguntei. Ele foi modesto.

> Vindo de fora é difícil dizer, isso é específico de cada país. Veja a Espanha hoje, em que os partidos perderam terreno para novos movimentos como o Podemos, de esquerda, ou seu oposto na Catalunha, o Ciudadanos. Nos Estados Unidos, por exemplo, temos o Tea Party, um movimento espontâneo que, em vez de fundar um partido, preferiu se tornar uma tendência muito influente dentro de um partido.[2]

Kataguiri e seus mentores do EPL ainda dariam muitas alegrias a Chafuen, aproximando-se do presidente da Câmara, Eduardo Cunha, para

---

[2] Marina Amaral, "A nova roupa da direita", cit.

54 | Por que gritamos golpe?

costurar o impeachment e mantendo a estridência das massas que tentaria lhe dar respaldo. Também pressionou por apoio ao movimento nos partidos tradicionais. De acordo com um áudio vazado recentemente de líderes do MBL, os partidos PMDB, PSDB, DEM e Solidariedade financiavam panfletos, caravanas e lanches em manifestações. Os partidos negam[3].

---

[3] Ver Pedro Lope e Viícius Segalla, "Áudios mostram que partidos financiaram MBL em atos pró-impeachment", *Folha de S.Paulo*, 27 maio 2016; disponível online.

O fim do lulismo
Ruy Braga

As análises da atual crise pela qual atravessa o país costumam, em geral, enfatizar os "erros" promovidos pelo governo de Dilma Rousseff na condução da política econômica herdada do governo de Lula da Silva. Se é bem verdade que certas decisões políticas do governo federal tenderam a interferir na dinâmica do conflito distributivo brasileiro, parece-nos claro que o foco na regulação política é demasiadamente estreito para iluminar a complexidade da crise atual.

Em primeiro lugar, porque essas explicações não são capazes de revelar as modificações na estrutura de classes ocorrida durante a era Lula. Sem mencionar os efeitos da crise econômica internacional, algo que foge totalmente ao escopo deste artigo, elas falham em explicar de que forma a relação entre a regulação política e a acumulação econômica não apenas deixou de pacificar os conflitos classistas como passou a radicalizá-los.

O ciclo grevista

Em primeiro lugar, vale destacar que, no mundo do trabalho, o colapso do armistício entre as classes subalternas e dominantes geralmente vem sob a forma de uma onda grevista. E, de fato, de acordo com os últimos dados do Sistema de Acompanhamento de Greves do Departamento Intersindical de

56 | Por que gritamos golpe?

Estatística e Estudos Socioeconômicos (SAG-Dieese), os trabalhadores brasileiros protagonizaram em 2013 uma onda grevista inédita na história do país, somando 2.050 greves. Isto significou um crescimento de 134% em relação ao ano anterior e configurou um novo recorde na série histórica do SAG-Dieese.

Assim, o país superou o declínio grevista das últimas duas décadas e o movimento sindical readquiriu certo protagonismo político. Em várias capitais, por exemplo, as greves bancárias tornaram-se rotineiras. Além disso, professores, funcionários públicos, metalúrgicos, operários da construção civil, motoristas e cobradores de ônibus reconciliaram-se com a mobilização sindical entre 2013 e 2015. Um notável protagonismo da esfera privada tornou-se saliente, consolidando a tendência iniciada em 2012.

Proporcionalmente, as greves da esfera privada representaram 54% do total, superando as da esfera pública. Aqui, vale destacar a verdadeira explosão de greves ocorrida no domínio que acantona com mais frequência os grupos de trabalhadores não qualificados ou semiqualificados, terceirizados, sub-remunerados, submetidos a contratos precários de trabalho e, portanto, mais distantes de certos direitos trabalhistas – isto é, o setor de serviços privados.

Além de oito greves nacionais realizadas pelos trabalhadores bancários, nota-se também um particular ativismo entre os trabalhadores em turismo, limpeza, saúde privada, segurança, educação e comunicação. Em acréscimo, a maioria das greves de 2013 foi deflagrada por trabalhadores dos transportes. Além disso, é possível notar uma tendência semelhante quando observamos os trabalhadores do serviço público. Tanto em termos de administração direta quanto em relação às empresas estatais, o aumento mais expressivo das greves deu-se nos municípios.

Nesse sentido, a atividade sindical ampliou-se para categorias diferentes daquelas já tradicionalmente mobilizadas. Aqui também a atividade grevista avançou na direção dos grupos de trabalhadores mais precarizados da administração pública, isto é, os trabalhadores municipais. Em termos gerais, considerando ambas as esferas pública e privada, é possível identificar uma expansão do movimento do centro para a periferia, em uma espécie de transbordamento grevista que revela uma forte aproximação do precariado urbano em relação à mobilização sindical.

Diante da magnitude desse ciclo grevista, desconfio que, entre as várias explicações para a atual crise política, talvez a mais subestimada seja essa: as classes dominantes simplesmente não precisam de uma burocracia sindical incapaz de controlar as próprias bases, sobretudo no momento em que o único projeto realmente crível para os dominantes consiste em restaurar a acumulação capitalista aprofundando a espoliação social por meio do ataque aos direitos dos trabalhadores.

O atual ciclo grevista e as vicissitudes enfrentadas pelas classes subalternas brasileiras em seu modo de vida precário são duas faces reveladoras dos limites e das ambiguidades inerentes ao projeto lulista. Compreender as contradições desse projeto implica analisar os limites da hegemonia precária reproduzida pelo Partido dos Trabalhadores nos últimos treze anos.

A hegemonia precária

Entendida como um *modo de regulação* dos conflitos classistas, o lulismo enquanto relação social hegemônica apoiou-se na articulação de duas formas distintas porém complementares de consentimento, cujo produto foi a construção por uma década de uma relativa pacificação social no país. Por um lado, é necessário caracterizar o *consentimento passivo* das classes subalternas ao projeto de governo liderado pela burocracia sindical, que, durante o período de expansão do ciclo econômico, soube garantir concessões efetivas (ainda que modestas) aos trabalhadores.

O *subproletariado semirrural* acantonado nos grotões foi beneficiado pelo programa Bolsa Família, passando da extrema pobreza para a pobreza oficial. O *precariado urbano* deixou-se seduzir pelos aumentos reais do salário mínimo (isto é, acima da inflação) e pela formalização do mercado de trabalho com a criação de empregos. O *proletariado sindicalmente organiza*do beneficiou-se do mercado de trabalho aquecido, alcançando negociações coletivas vantajosas tanto em termos salariais quanto em benefícios trabalhistas[1].

Ao menos até a eleição presidencial de 2014, a combinação de políticas públicas redistributivas, criação de empregos formais e acesso popular ao crédito promoveu uma discreta desconcentração de renda entre aqueles que vivem dos rendimentos do trabalho. Em um país mundialmente conhecido por suas desigualdades sociais, esse pequeno avanço foi suficientemente forte para sedimentar o consentimento dos subalternos à regulação lulista.

Ademais, o projeto de governo petista soube combinar concretamente os interesses da burocracia sindical, das lideranças dos movimentos sociais e

---

[1] Sobre o comportamento dessas três frações das classes subalternas brasileiras na última década, ver André Singer, *Os sentidos do lulismo: reforma gradual e pacto conservador* (São Paulo, Companhia das Letras, 2012); Ruy Braga. *A política do precariado: do populismo à hegemonia lulista* (São Paulo, Boitempo, 2012); e Roberto Véras de Oliveira, Maria Aparecida Bridi e Marcos Ferraz, *O sindicalismo na Era Lula: paradoxos, perspectivas e olhares* (Belo Horizonte, Fino Traço, 2014).

58 | Por que gritamos golpe?

de setores médios intelectualizados, criando as bases para um *consentimento ativo* ao lulismo, cujo lócus foi o aparelho de Estado. Além da absorção de milhares de sindicalistas às funções de assessoria parlamentar, cargos em ministérios e chefias de empresas estatais, parte da burocracia sindical ascendeu a posições estratégicas nos conselhos dos grandes fundos de pensão das estatais, administrados como fundos de investimento, assumindo, em acréscimo, posições nos conselhos gestores do BNDES, do Banco do Brasil e da Caixa Econômica Federal.

Assim, o sindicalismo lulista transformou-se não apenas em um ativo administrador do Estado burguês, mas em um ator-chave da arbitragem do próprio investimento capitalista no país. Ocorre que, se esse poder político--administrativo não assume a forma da propriedade privada de capital, a posição social privilegiada da burocracia sindical não se cristaliza, dependente que é do controle do aparelho político.

E, para reproduzir tal controle, ela deve ser capaz de acomodar os interesses tanto de seus aliados históricos (setores médios da própria burocracia, pequena burguesia intelectualizada etc.) quanto de seus adversários (camadas burocráticas hostis, grupos sectários com interesses corporativistas etc.) no interior do aparelho de Estado.

Ainda que com grandes dificuldades – decorrentes da assimilação do petismo às regras antidemocráticas do jogo eleitoral brasileiro e da tentativa do primeiro governo Lula em romper com os esquemas do presidencialismo de coalizão por meio da compra direta de apoio político no parlamento –, a hegemonia lulista alcançou, até 2014, notável êxito em reproduzir tanto o *consentimento passivo* das massas quanto o *consentimento ativo* das direções.

As contradições do lulismo

Durante o ciclo expansivo da economia, no entanto, certas contradições sociais foram se acumulando, preparando a reviravolta atual. Apesar do aumento impressionante do assalariamento formal ocorrido na última década, em média, 94% do emprego criado pagavam até 1,5 salário mínimo. Já em ritmo de desaceleração, em 2014, cerca de 97,5% do emprego criado pagavam esse mesmo valor. Além disso, os postos criados foram ocupados majoritariamente por mulheres, jovens e de ascendência negra. Ou seja, aqueles trabalhadores que tradicionalmente recebem menos e são mais discriminados no mercado de trabalho.

Vale destacar que, ano após ano, o número de acidentes e mortes no trabalho cresceu e a taxa de rotatividade do emprego aumentou, dois indicadores claros de deterioração da qualidade do trabalho. O aprofundamento da crise econômica e a guinada rumo à política de austeridade do segundo governo de Dilma Rousseff aprofundaram as tendências regressivas do modelo, obrigando o proletariado sindicalizado a permanecer ativo nas greves.

Deve-se lembrar que ainda, apesar de titubeante, foi o apoio do proletariado precarizado que garantiu a vitória de Dilma Rousseff no segundo turno da eleição de 2014. No entanto, esse apoio estava condicionado à manutenção do emprego formal, ainda que de baixa qualidade. A contração cíclica impulsionada pelos cortes dos gastos federais elevou o desemprego (segundo a última Pesquisa Mensal de Amostras por Domicílio Contínua, a taxa de desemprego subiu de 7,9% para 10,2% nos últimos doze meses) e atingiu em cheio tanto o precariado urbano quanto o proletariado organizado sindicalmente.

Por outro lado, os setores médios tradicionais – alguns deles, inclusive, aliados do PT e da CUT até o escândalo do "Mensalão" – evoluíram rumo a uma agenda econômica e política marcadamente direitista. Não é difícil imaginar as razões. O progresso da formalização do emprego encareceu o trabalho doméstico. O mercado de trabalho aquecido impulsionou a inflação dos serviços. O aumento do consumo de massas fez com que os trabalhadores "invadissem" espaços antes reservados às classes médias tradicionais, como *shopping centers* e aeroportos, por exemplo.

Finalmente, o aumento da oferta de vagas em universidades privadas e de baixa qualidade para filhos de trabalhadores aumentou a concorrência por empregos que pagam mais do que 1,5 salário mínimo. Quando o escândalo do "Petrolão" passou a monopolizar o noticiário, a insatisfação das classes médias tradicionais explodiu em uma gigantesca onda de protesto, monopolizada por uma pauta política reacionária.

Assim, o colapso da base de sustentação do governo Dilma Rousseff no Congresso Nacional é apenas a face mais visível de uma crise orgânica cujas raízes encontram-se na própria estrutura social de um país que vive há dois anos em recessão econômica. O modelo de desenvolvimento brasileiro apoiado na criação de empregos precários e na desconcentração de renda entre os que vivem dos rendimentos do trabalho já não é capaz de garantir nem os lucros das empresas nem o consentimento dos subalternos.

O golpe palaciano

Diante do agravamento da crise internacional, os principais grupos empresariais brasileiros, tendo os bancos privados à frente, passaram a exigir do governo federal um aprofundamento da estratégia de austeridade. Em suma,

60 | Por que gritamos golpe?

para as grandes empresas, é necessário aprofundar o ajuste recessivo, aumentar o desemprego e conter o atual ciclo grevista, a fim de impor uma série de reformas antipopulares, como a da previdência e a trabalhista.

Trata-se de um projeto que se alimentou dos recuos do atual governo. O ajuste fiscal aplicado no início do segundo mandato de Dilma traiu a expectativa dos 53 milhões de eleitores que foram seduzidos pelas promessas de sua campanha de manutenção dos empregos e dos direitos trabalhistas. À crise de popularidade de seu segundo governo somou-se o descontentamento dos setores médios tradicionais insatisfeitos com a diminuição das desigualdades entre as classes sociais. Quando a operação Lava Jato da Polícia Federal decidiu focar exclusivamente nos políticos petistas envolvidos em esquemas de corrupção na Petrobras, esses setores foram às ruas exigir a queda do governo.

Essa mobilização estimulou a adesão dos derrotados em 2014 ao processo de impeachment. Negociações entre o PSDB e o PMDB intensificaram-se e convergiram para o documento *Uma ponte para o futuro*, cuja essência consiste em garantir o pagamento dos juros da dívida pública aos bancos às custas dos gastos com educação, saúde e programas sociais do governo.

Aqui, vale destacar que as forças golpistas derrubaram o governo não pelo que Dilma Rousseff concedeu aos setores populares, mas por aquilo que ela não foi capaz de entregar aos empresários: um ajuste fiscal ainda mais radical, que exigiria alterar a Constituição Federal, uma reforma previdenciária regressiva e o fim da proteção trabalhista. Ocorre que, do outro lado da atual crise, os sindicatos, em sua maioria, controlados pelo PT, ainda protagonizam um histórico ciclo grevista.

Assim, criou-se no Brasil uma situação de impasse em que o golpe de Estado encontrará forte resistência popular e deverá evoluir, conforme as medidas regressivas assumidas por um governo ilegítimo sejam adotadas, para uma inédita intensificação das lutas sociais.

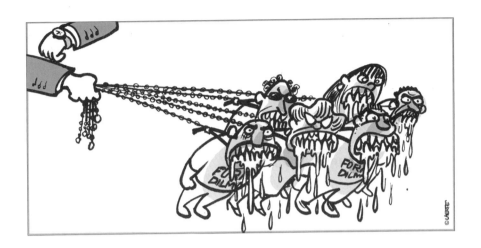

Da tragédia à farsa: o golpe de 2016 no Brasil
Michael Löwy

Se observarmos a história mundial nos últimos dois séculos, o que predomina é o Estado de exceção. A democracia é que foi excepcional. De uma forma ou de outra, fica claro que ela é um peso grande para o Estado, para as classes dominantes e para o capital financeiro. A democracia atrapalha, ela não facilita o trabalho da política capitalista. Daí a tendência a reduzir o espaço democrático, tomar medidas de exceção e até mesmo usar o método do golpe, como estamos vendo na América Latina. O golpe de 2016 no Brasil não é o primeiro. Já tivemos golpes em Honduras e no Paraguai, e possivelmente teremos outro na Venezuela. Isso mostra que a democracia já não está mais sendo útil, que ela está atrapalhando a implantação das políticas neoliberais.

Essa foi também a história recente da Grécia. O povo grego escolheu um caminho e o capital europeu, personificado na Comissão Europeia, passou por cima dos resultados eleitorais em prol das leis do mercado. Se antes já vivíamos em uma democracia de baixa intensidade, agora parece que até mesmo essa democracia era intensa demais para as classes dominantes e para o capital financeiro. Toma-se, portanto, o caminho das medidas de exceção,

62 | Por que gritamos golpe?

de maneira diferente em cada país. No caso do Brasil, temos um golpe pseudolegal, supostamente dentro do Estado de direito, mas com uma restrição cada vez maior dos direitos. Há ainda essa tendência bem preocupante, não só na América Latina como também na Europa, de uma extrema-direita que está se aproveitando dessa conjuntura e que se apresenta como um sério candidato ao poder. Se isso se confirmar, o pouco que nos resta da democracia vai desaparecer.

O contexto latino-americano

Desde o inicio do século XXI, a esquerda ganhou as eleições na maioria dos países latino-americanos, em uma poderosa onda de rejeição popular das desastrosas politicas neoliberais dos governantes anteriores. Mas temos que distinguir entre dois tipos bastante diferentes de governos de esquerda:

1. As coalisões social-liberais, que não rompem com os fundamentos do "Consenso de Washington", mas realizam varias medidas sociais progressistas. O principio básico desse tipo de governo é fazer tudo o que é possível para melhorar a situação dos pobres, com a condição de não tocar nos privilégios dos ricos... Os governos de esquerda ou centro--esquerda do Brasil (antes da crise atual), do Uruguai e do Chile são exemplos evidentes desse modelo.

2. Governos antioligárquicos, antineoliberais e anti-imperialistas, que colocam como horizonte histórico o "socialismo do século XXI". Venezuela, Bolívia e Equador pertencem a essa categoria.

Outros governos de esquerda, no Paraguai, na Nicarágua, em El Salvador na ou Argentina eram situados no meio do caminho (ou à margem) desses dois tipos. As classes populares obtiveram ganhos substanciais na maioria desses países, graças a certa redistribuição da renda, em particular do gás (Bolívia) e do petróleo (Venezuela, Equador). Mas nenhum desses governos enfrentou efetivamente as estruturas básicas do sistema capitalista, e não houve nenhuma tentativa efetiva de iniciar uma transição ao socialismo. Até agora Cuba, com todas as suas limitações – a começar pela falta de democracia – é a única experiência que tomou esse caminho.

Também não houve, por parte desses governos de esquerda, nenhuma tentativa de superar a dependência em relação às energias fósseis, exceto no Equador, por um curto período, quando o governo de Rafael Correa decidiu assumir o Projeto Parque Yasuni, proposto pelos movimentos ecológicos e indígenas: deixar o petróleo debaixo da terra, nessa ampla área da floresta amazônica habitada por comunidades indígenas, e exigir dos países ricos do Norte – que afirmam querer lutar contra as emissões de gases de efeito estufa – que indenizem o povo equatoriano pela metade do valor dessa riqueza não explorada. Como era de se esperar, os governos dos países capitalistas ricos não se interessaram pela proposta (com poucas exceções), e Correa finalmente capitulou, abrindo o Parque Yasuni às multinacionais petroleiras.

Desde o início, houve várias tentativas das oligarquias para restabelecer seu poder tradicional, com vários tipos de golpes, com a benção do imperialismo americano; mas, na maioria dos casos – Venezuela, Bolívia, Equador –, essas tentativas fracassaram, graças a uma ampla mobilização popular antigolpista. Entretanto, em Honduras em 2009, Manuel Zelaya, o presidente democraticamente eleito, que tentou realizar algumas modestas reformas, foi derrubado com uma intervenção pseudolegal da Corte Suprema, com o apoio do Exército. Algo parecido sucedeu no Paraguai com o presidente Lugo, acusado em 2012 de apoiar movimentos camponeses e deposto pelo Senado. Governos direitistas e autoritários substituíram os dirigentes progressistas em ambos os países, com o apoio do imperialismo americano.

Na verdade, a ofensiva reacionária e conservadora da oligarquia contra os governos de esquerda nunca cessou durante os últimos quinze anos, mas agora tem conseguido algumas vitórias substanciais. Na Argentina, a experiência peronista de esquerda do casal Kirchner terminou recentemente com a eleição de Macri, um candidato direitista, pró-imperialista e neoliberal. Na Venezuela, a oposição de direita ganhou as eleições parlamentares, ameaçando seriamente o poder do sucessor de Chávez, Nicolás Maduro. Essas derrotas certamente têm a ver com 1) a conjuntura econômica difícil, devido à queda dos preços do petróleo e de outras *commodities* e 2) os limites e as contradições dos processos de mudança nos dois países. Mas elas demonstram também a capacidade das forças burguesas e oligárquicas de manipular, enganar e desorientar setores significativos da população, graças a seu monopólio dos meios de comunicação (imprensa, TV etc.). O governo de esquerda mais bem-sucedido no continente é provavelmente o de Evo Morales na Bolívia: o dirigente camponês indígena conseguiu derrotar a oligarquia neoliberal com massivo apoio popular. Mas aqui também se observam sinais de decepção com várias decisões do governo, que encontraram forte resistência de sindicatos operários e movimentos camponeses. Isso provavelmente explica por que a maioria da população recusou, em recente referendo, a permissão a Evo de se candidatar a um terceiro turno como presidente – um voto que provavelmente também é expressão de uma desconfiança geral em relação a um excessivo poder pessoal.

64 | Por que gritamos golpe?

Na atual conjuntura internacional – fim da Guerra Fria –, não é muito provável que se assista ao retorno das sangrentas ditaduras militares dos anos 1964-1990 (Brasil, Chile, Argentina, Uruguai, El Salvador etc.), embora essa possibilidade não possa ser totalmente excluída.

O golpe no Brasil

Considerando o peso econômico e político do Brasil na América Latina, o atual confronto de forças no país será decisivo para o futuro do continente nos próximos anos.

Vamos dar nome aos bois. O que aconteceu no Brasil, com a destituição da presidente eleita Dilma Rousseff, foi um *golpe de Estado*. Golpe de Estado pseudolegal, "constitucional", "institucional", parlamentar ou o que se preferir, mas golpe de Estado. Parlamentares – deputados e senadores – profundamente envolvidos em casos de corrupção (fala-se em 60%) instituíram um processo de destituição contra a presidente pretextando irregularidades contábeis, "pedaladas fiscais", para cobrir déficits nas contas públicas – uma prática corriqueira em todos os governos anteriores! Não há dúvida de que vários quadros do PT estão envolvidos no escândalo de corrupção da Petrobras, mas Dilma não... Na verdade, os deputados de direita que conduziram a campanha contra a presidente são uns dos mais comprometidos nesse caso, começando pelo presidente da Câmara dos Deputados, Eduardo Cunha (recentemente suspenso), acusado de corrupção, lavagem de dinheiro, evasão fiscal etc.

A prática do golpe de Estado legal parece ser a nova estratégia das oligarquias latino-americanas. Testada em Honduras e no Paraguai (países que a imprensa costuma chamar de "República das Bananas"), ela se mostrou eficaz e lucrativa para eliminar presidentes (muito moderadamente) de esquerda. Agora foi aplicada num país que tem o tamanho de um continente...

Podemos fazer muitas críticas a Dilma: ela não cumpriu as promessas de campanha e faz enormes concessões a banqueiros, industriais e latifundiários. Há um ano a esquerda política e social cobra uma mudança de política econômica e social. Mas a oligarquia de direito divino do Brasil – a elite capitalista financeira, industrial e agrícola – não se contenta mais com concessões: ela quer o poder todo. Não quer mais negociar, mas sim governar diretamente, com seus homens de confiança, e anular as poucas conquistas sociais dos últimos anos.

Citando Hegel, Marx escreveu no *18 de brumário de Luís Bonaparte** que os acontecimentos históricos se repetem duas vezes: primeiro como tragédia,

---

* São Paulo, Boitempo, 2011, p. 25. (N. E.)

segundo como farsa. Isso se aplica perfeitamente ao Brasil. O golpe de Estado militar de abril de 1964 foi uma tragédia que mergulhou o Brasil em vinte anos de ditadura militar, com centenas de mortos e milhares de torturados. O golpe de Estado parlamentar de maio de 2016 é uma farsa, um caso tragicômico, em que se vê uma cambada de parlamentares reacionários e notoriamente corruptos derrubar uma presidente democraticamente eleita por 54 milhões de brasileiros, em nome de "irregularidades contábeis". O principal componente dessa aliança de partidos de direita é o bloco parlamentar (não partidário) conhecido como "a bancada BBB": da "Bala" (deputados ligados à Polícia Militar, aos esquadrões da morte e às milícias privadas), do "Boi" (grandes proprietários de terra, criadores de gado) e da "Bíblia" (neopentecostais integristas, homofóbicos e misóginos)[1]. Entre os partidários mais empolgados com a destituição de Dilma destaca-se o deputado Jair Bolsonaro (PP), que dedicou seu voto pela abertura do processo de impeachment na Câmara aos oficiais da ditadura militar, nomeadamente ao coronel Brilhante Ustra, um torturador notório. (Uma das vítimas de Ustra foi Dilma Rousseff, que no início dos anos 1970 era militante de um grupo de resistência armada, e também meu amigo Luiz Eduardo Merlino, jornalista e revolucionário, morto em 1971 sob tortura, aos 21 anos de idade.)

O presidente interino, Michel Temer, entronizado por seus acólitos, está envolvido em vários casos suspeitos. Uma pesquisa recente perguntou aos brasileiros se votariam em Temer para presidente da República: 2%

---

[1] Nas décadas de 1980 e 1990, o cristianismo alimentou a esquerda, os movimentos sociais, o MST, a CUT, o próprio PT. Muitos deles têm suas raízes nas comunidades eclesiásticas de base, na pastoral do campo, na Teologia da Libertação. Isso foi importante e teve grandes consequências sociais e políticas ao Brasil. Mas entrou em crise com a adaptação do PT ao Estado burguês e ao interesse do capital. Nas últimas décadas, surgiram, com cada vez maior força, os chamados "evangélicos". As igrejas neopentecostais assumiram uma agenda bastante reacionária em todos os campos: com relação às mulheres, aos homossexuais, aos cultos afro-brasileiros, ao capitalismo – uma adesão à chamada "teologia da prosperidade". Trata-se de uma configuração preocupante, com muito impacto político, pois esses grupos organizam e financiam campanhas eleitorais. Há talvez uma esperança de que a Teologia da Libertação volte a ganhar mais espaço, agora que o Vaticano está abrindo novas possibilidades. Quem sabe assistiremos a uma nova onda do cristianismo da libertação, que dispute espaço com os evangélicos. E também há a esperança de que algum dia surja no seio das igrejas evangélicas um setor mais crítico. Acredito que já exista, aqui e acolá, mas ainda sem se estruturar em uma força sócio-religiosa de peso. A igreja católica foi durante séculos uma força ultraconservadora, até que de repente surgiu o imprevisto: alguns cristãos começaram a ler Marx. Talvez isso venha a acontecer com os evangélicos.

66 | Por que gritamos golpe?

responderam que sim... Dois dos ministros designados por Temer já tiveram de se demitir, depois da divulgação na imprensa de conversas em que justificavam a necessidade do golpe contra Dilma para frear as investigações da operação Lava Jato.

Em 1964, grandes manifestações "da família com Deus pela liberdade" prepararam o terreno para o golpe contra o presidente João Goulart; hoje, multidões "patrióticas" influenciadas pela imprensa submissa se mobilizaram para exigir a destituição de Dilma, em alguns casos chegando a pedir o retorno dos militares... Formadas essencialmente por brancos (os brasileiros são em maioria negros ou mestiços) de classe média, essas multidões foram convencidas pela mídia de que, nesse caso, o que está em jogo é "o combate à corrupção".

O que a tragédia de 1964 e a farsa de 2016 têm em comum é o ódio à democracia. Os dois episódios revelam o profundo desprezo que as classes dominantes brasileiras têm pela democracia e pela vontade popular.

O golpe de Estado "legal" vai transcorrer sem grandes obstáculos, como em Honduras e no Paraguai? Isso ainda não é certo... As classes populares, os movimentos sociais, a juventude rebelde ainda não deram a última palavra.

Frei Betto, que foi um dos fundadores do PT (mesmo que não tenha aderido formalmente ao partido) e que hoje declara votar no PSOL, observa, em um recente comentário político:

> Meu fio de esperança se prende aos movimentos sociais. Não são perfeitos. Neles há também oportunistas e corruptos. Mas estes são exceções. Porque a base da maioria dos movimentos é a gente pobre que luta com dificuldade para sobreviver. Essa gente costuma ser visceralmente ética. Não acumula, partilha. Não se entrega, resiste. Não se deixa derrotar, levanta, sacode a poeira e dá a volta por cima.[2]

A urgência do momento é derrotar o golpe, graças a uma ampla aliança que tem sua expressão na Frente Brasil Popular. Mas é preciso começar a refletir sobre novos rumos para o país, rompendo com a jaula de aço do neoliberalismo, com os compromissos podres, as concessões e as capitulações, e tomando as iniciativas mínimas que espera a população: uma reforma agrária autêntica, uma reforma política que ponha fim às subvenções empresariais, uma reforma fiscal que obrigue a oligarquia – banqueiros, empresários, agronegociantes – a pagar um imposto substancial, transporte público gratuito e expansão decisiva das redes públicas de educação e saúde. Um novo rumo

---

[2] Frei Betto, "Meu fio de esperança", 9 jun. 2016; disponível em: <www.psolsantos.com.br/artigo/meu-fio-de-esperanca>.

que supere também o desastre ambiental, a fúria extrativista, o sacrifício da Amazônia ao agronegócio.

Frei Betto escrevia, em seu balanço crítico do governo Lula: "Quando a política perde seu horizonte utópico, se torna mesquinha"[3]. O programa socialista do PT de 1990 – bem esquecido por seus atuais dirigentes – argumentava que o capitalismo é um sistema intrinsecamente antidemocrático: se queremos uma verdadeira democracia, temos de lutar pelo socialismo. Está na hora de voltarmos a levantar essa bandeira.

---

[3] Idem, *A mosca azul: reflexão sobre o poder* (Rio de Janeiro, Rocco, 2006).

Uma ponte para o abismo
Leda Maria Paulani

Desde o início dos anos 1990, o Brasil foi tomado de assalto pelos ventos (neo)liberais, que já há uma década andavam assombrando o mundo. Ao final dos anos 1970 e início dos 1980, lá no centro do sistema – ou seja, nos países desenvolvidos –, depois de algumas décadas de elevadas taxas de crescimento e forte presença estatal na economia, o aumento descontrolado da riqueza financeira começou a cobrar a conta, exigindo que fosse devolvido ao mercado o lugar de proeminência que o Estado havia lhe roubado.

Nesse mundo cheio de regras, quarentenas e custos para a movimentação internacional de capitais, a grita da riqueza financeira privada, cada vez mais abundante e ávida por total liberdade de movimentos, transformou-se rapidamente em cartilha de orientação para a condução da política econômica. Margareth Thatcher e Ronald Reagan foram os protagonistas desse importante episódio da história mundial, o qual, para o mundo dos países menos desenvolvidos, onde se inclui o Brasil, tomou a forma do assim chamado *Consenso de Washington*[1].

---

[1] O nome deriva do fato de o documento, com base em artigo escrito pelo economista John Williamson, congregar as medidas consideradas, entre os economistas das instituições sediadas

70 | Por que gritamos golpe?

Conforme o dito "consenso", para superar os entraves ao crescimento, os países ainda não desenvolvidos deveriam desregulamentar de modo geral a economia, promover a abertura financeira, promover a abertura comercial e a atração dos investimentos estrangeiros diretos, liberalizar o câmbio e, finalmente, reduzir o tamanho do Estado, o que significava comprimir os gastos públicos, manter rígida disciplina fiscal e privatizar todas as empresas estatais, mesmo aquelas situadas em setores estratégicos.

Até meados dos anos 1990, mesmo com a eleição de Fernando Collor, essa agenda teve dificuldades para ser implementada, porque, para tanto, se impunha como necessidade a resolução do problema inflacionário. Além disso, era preciso resolver também a questão do endividamento externo, que pairava em suspenso desde a moratória de 1987.

Com a implantação do Plano Real, em 1994, essa agenda neoliberal transformou-se em programa de governo do então candidato e depois presidente Fernando Henrique Cardoso, que venceu as eleições presidenciais daquele ano justamente por conta da estabilidade monetária que o referido Plano produziu. De outro lado, o problema da dívida externa também havia sido resolvido, com o atendimento de duas exigências de nossos credores internacionais: a securitização dos débitos[2] e a abertura financeira da economia[3], com a internacionalização do mercado brasileiro de títulos públicos.

Assim, a partir de 1995, entre outras iniciativas afinadas com o credo neoliberal, a economia brasileira experimentou um agressivo programa de privatizações, a adoção de medidas para liberalizar o comércio e o fortalecimento do processo de abertura financeira, que já havia se iniciado. Em paralelo, adotou-se uma política monetária bastante rígida, com juros reais elevadíssimos e um conjunto de outras medidas visando beneficiar o capital financeiro, como a isenção tributária a ganhos financeiros de não residentes, alterações legais para

---

na capital americana (FMI, Banco Mundial e Departamento do Tesouro dos Estados Unidos), consensuais para a recuperação das economias em desenvolvimento.

[2] A securitização fraciona um empréstimo convencional entre, por exemplo, uma empresa estatal e o City Bank, num conjunto de títulos, que são vendidos ao mercado com deságio (justamente pela dificuldade em sua cobrança).

[3] O processo de abertura financeira está relacionado a vários tipos de medidas, a maior parte delas visando a liberalização dos fluxos internacionais de capital (abolição dos controles sobre as operações com estoque de ativos entre residentes e não residentes). No período em tela, o processo envolveu a abertura ao investimento estrangeiro do mercado financeiro brasileiro (de títulos públicos e de ações), bem como uma substantiva redução dos entraves para enviar legalmente recursos ao exterior.

Leda Maria Paulani | 71

dar mais garantias aos credores do Estado e reforma previdenciária para cortar gastos públicos e abrir o mercado previdenciário ao capital privado. Vendido politicamente como um pacote necessário para a "modernização" da economia, esse conjunto de medidas visava, em realidade, inserir ativamente o país no processo de mundialização financeira, colocando a economia brasileira como uma potência financeira emergente. Datam daí as primeiras manifestações dos defensores desse modelo, que objetivavam apontar a Constituição de 1988 e os direitos que ela consigna aos cidadãos brasileiros como um entrave para o desenvolvimento do país[4]. Essas manifestações tornaram-se ainda mais insistentes depois da crise cambial de 1999 e da adoção do assim chamado tripé macroeconômico: regime de metas de inflação, produção de superávits primários nas contas públicas e adoção do regime de câmbio flutuante.

A imposição da obtenção de resultados primários positivos – ou seja, a obrigatoriedade da sobra de um resíduo no cotejo entre receitas e despesas do governo para pagamento dos juros da dívida pública – vai se mostrando incompatível com a garantia dos direitos econômicos constitucionais. Particularmente em períodos em que a economia não vai tão bem, a queda da arrecadação de tributos impõe ao governo a escolha entre bons resultados primários, com prejuízo da prestação de serviços públicos e das políticas públicas, ou não obtenção desses resultados e manutenção desses serviços e políticas.

A ascensão do Partido dos Trabalhadores ao Governo Federal, com a eleição de Lula em 2002, não mudou substantivamente essa agenda liberal. Em seu início, os parâmetros macroeconômicos vigentes foram inclusive aprofundados (elevação ainda maior da taxa de juros, que chegou aos 26,5% ao ano; enorme arrocho monetário, com corte de cerca de 10% nos meios de pagamento da economia; adoção de uma meta de superávit primário maior do que a exigida pelo FMI). Além disso, medidas adicionais para completar o processo de inserção da economia brasileira nos circuitos internacionais de valorização financeira foram imediatamente tomadas: reforma da lei de falências (para aumentar a segurança dos credores do setor privado), extensão da reforma da previdência aos servidores públicos e aprofundamento do processo de abertura financeira.

---

[4] Ressalte-se que o governo admitia, sem grandes preocupações, que o modelo em vigor não se destinava a reduzir a pobreza e a exclusão social. Em 1996, questionado por um repórter da *Folha de S.Paulo*, o próprio FHC respondeu, sem titubear, que o modelo adotado "não era para os excluídos"; ver Vinícius Torres Freire, "FHC exclusivo", *Folha de S.Paulo*, 13 out. 1996, disponível online.

72 | Por que gritamos golpe?

Mas, ao longo do tempo, os governos do PT foram se diferenciando de seus antecessores porque, combinadas com a continuidade dessa agenda liberal, foram sendo adotadas políticas sociais de alto impacto. Apesar de o programa Bolsa Família ser visto amiúde como uma espécie de símbolo dessas políticas, ele está muito longe de ser o único e, se é o mais importante do ponto de vista da redução da pobreza absoluta, seguramente não é o mais importante em termos de redução da desigualdade. Nesse sentido, muito mais importante foi a elevação do valor real do salário mínimo, que alcançou 85% entre 2003 e 2014. Como o salário mínimo atinge, via regime geral de previdência (INSS), mais de 20 milhões de beneficiários[5], essa substantiva elevação de seu valor real afetou muito rapidamente o perfil da distribuição de renda no país.

Além das políticas que mexeram diretamente com a renda e sua distribuição, foram ocorrendo, em paralelo, uma série de outras iniciativas, que contribuíram igualmente com a constituição de um tecido social menos desigual. Destacam-se aqui aquelas relacionadas à facilidade de acesso ao ensino superior por parte das classes de renda mais baixa: o Programa Universidade para Todos (ProUni), a criação de dezoito novas universidades públicas e a extensão, o aumento da carência e a redução de custo do Fundo de Financiamento Estudantil (Fies).

No mesmo sentido, cabe mencionar também a existência de um sem-número de outros programas sociais administrados pelo Ministério do Desenvolvimento Social (MDS). Um bom exemplo é o Programa de Cisternas, que, só no período 2011-2014, entregou mais de 750 mil desses equipamentos de captação de água no Nordeste, minimizando assim os efeitos deletérios da maior seca enfrentada pela região em cinquenta anos. Ainda na mesma linha temos o Minha Casa Minha Vida, que, para além de suas dificuldades do ponto de vista técnico e urbanístico, constitui um significativo programa de produção subsidiada de moradias populares, e o Luz para Todos, que, criado em 2003, levou energia elétrica a mais de 3 milhões de famílias do meio rural em todo o país. Finalmente, cabe mencionar uma série de programas com o mesmo espírito na área da cultura, além de reiteradas ações, do tipo cotas e similares, na defesa das assim chamadas "minorias" (negros, pardos, indígenas, mulheres), além da elevação de direitos de determinadas classes de trabalhadores, como a das empregadas domésticas.

---

[5] Esses benefícios estão relacionados principalmente à existência da aposentadoria rural e dos benefícios de prestação continuada (BPCs) para pessoas com deficiência física e idosos de baixa renda.

Ora, a combinação desses dois elementos (agenda liberal e políticas sociais de alto impacto) é, em princípio, contraditória, porque vai aumentando a importância e a presença do Estado na economia, além de exigir um nível cada vez maior, ao invés de menor, de regulamentação em vários setores e instâncias da vida socioeconômica. Além disso, essas políticas foram fortalecendo e ampliando os direitos sociais garantidos pela Carta de 1988. Mas enquanto prevaleceu o crescimento econômico puxado pelas exportações e pelo efeito multiplicador dessas mesmas políticas, essa contradição foi acomodada.

O advento da crise financeira internacional ao final de 2008 e suas consequências para os países emergentes começaram a desmanchar essa conciliação, até então possível e à sua maneira virtuosa. De início driblada pelos expedientes de subsídios aos setores de maior efeito multiplicador (automóveis e eletrodomésticos) e por uma agressiva expansão do crédito ao consumidor, a crise, no entanto, veio a se agravar no início da primeira gestão da presidenta Dilma.

Tal agravamento foi enfrentado com uma errônea política de aposta no investimento privado (via desoneração da folha de pagamentos das empresas) e por uma combinação de relaxamento da política monetária (redução da taxa de juros para conseguir desvalorizar o câmbio) com aperto fiscal. A ausência de resposta do investimento privado a esses estímulos, o corte efetuado nos investimentos públicos para criar o espaço para as desonerações, o esgotamento dos impulsos derivados do consumo e a continuidade da crise externa – com enorme redução do preço das *commodities* exportadas pelo país – começaram a produzir resultados muito ruins do ponto de vista do crescimento, culminando com a taxa de 0,1% em 2014, último ano da primeira gestão Dilma.

O agravamento do cenário econômico levou à conturbação do cenário político e à difusão do terrorismo econômico*, fazendo que o país, depois das manifestações de maio e junho de 2013, se encaminhasse praticamente dividido às eleições presidenciais de 2014. Os dois modelos estavam aí em disputa: de um lado, a tentativa de, mesmo em meio à crise, dar continuidade ao modelo conciliatório (chamado por alguns de neodesenvolvimentismo) e, de outro, a busca por resgatar *in totum* a agenda neoliberal e romper com esse modelo.

Vencida a eleição, por pequena margem de diferença, a segunda gestão de Dilma, no entanto, começou sob a égide da política de austeridade, comandada por um prócer do mercado financeiro. Esse novo e fatal erro derrubou de vez a economia (o ano de 2015 fechou com queda de 3,8% no PIB e enorme elevação

---

* Ver Leda Paulani, "Terrorismo econômico", *Blog da Boitempo*, 20 out. 2014. (N. E.)

74 | Por que gritamos golpe?

do desemprego) e abriu o espaço político para a contestação do segundo mandato da presidenta.

O programa que seria implementado, caso fosse bem-sucedida a manobra para derrubar Dilma, já estava pronto e dado a público desde outubro de 2015. Tratava-se de *Uma ponte para o futuro*, documento programático produzido pelo PMDB, partido do vice-presidente Michel Temer. A essência do documento é o resgate pleno da agenda neoliberal (o modelo perdedor nas eleições de 2014), purificando-a dos arroubos sociais dos governos do PT e retomando o processo de privatização, relativamente brecado nas gestões de Lula e Dilma.

Mas essa *Ponte*, agora em construção pelo golpista Temer com auxílio dos tucanos, não mira apenas os programas sociais e políticas públicas petistas. Ele busca principalmente destruir a Constituição de 1988 e os direitos sociais que ela garante. Sob o pretexto de que "um novo regime fiscal requer um novo regime orçamentário", o programa de Temer fala claramente em acabar com a obrigatoriedade constitucional dos gastos com educação e saúde, o que significa menos escolas e creches e menos verbas para as universidades públicas e para valorização dos professores em todos os níveis. Significa também a impossibilidade de terminar e aprimorar a construção do SUS, o fundamental e civilizatório Sistema Único de Saúde do Brasil (o ministro da saúde de Temer já disse, aliás, num arroubo de sinceridade, que o SUS não pode ser para todos)[6].

O primeiro sinal de que as coisas de fato caminharão por aí veio no dia 24 de maio de 2016, com o anúncio do primeiro pacote de medidas econômicas a ser adotado pelo novo "governo". Ali se propõe, entre outros expedientes afinados com a concepção 100% neoliberal, o estabelecimento de um teto para o crescimento das despesas dado pela taxa de inflação do ano anterior, o que significa que haverá um congelamento delas em termos reais e que o gasto efetivo, por exemplo, na rubrica de educação, pode ficar abaixo do que é hoje constitucionalmente exigido, caso essa trava seja alcançada antes que se atinja esse percentual. Outras medidas elencadas no referido documento vão na mesma direção, como o fim do que se chama ali de "eternização dos programas estatais" e a eliminação do crescimento automático das despesas do Estado. Não é difícil perceber que a concretização dessas medidas, em conjunto com as propostas de reforma na previdência social, que são tratadas no artigo de Eduardo Fagnani do presente volume, o que vai de fato ser colocado em xeque é a Constituição de 1988.

---

[6] Ver Claudia Collucci, "Tamanho do SUS precisa ser revisto, diz novo ministro da Saúde", *Folha de S.Paulo*, 17 maio 2016; disponível online.

Os demais elementos dessa *Ponte* fazem coro com a agenda puro-sangue do neoliberalismo: a promoção do que se chama ali de uma "verdadeira abertura comercial", o que implicará a busca de acordos comerciais de todos os tipos "com ou sem o Mercosul" (leia-se, participação do país mesmo naqueles acordos do tipo Alca, até agora rechaçados, e redução da importância de espaços regionais e geopolíticos alternativos, como o ensejado pelos Brics), o aumento da participação da iniciativa privada em todas as áreas, por meio da transferência de ativos (leia-se, retomada forte do processo de privatização, mesmo que isso envolva um patrimônio estratégico como o da Petrobras)[7], a redução da interferência do Banco Central sobre o câmbio (leia-se, permissão para o câmbio flutuar livremente, mesmo que isso implique enorme aumento da volatilidade e novos movimentos de valorização do real lesivos à economia e à indústria nacionais) e, finalmente, na chave do "desregulamentar de modo geral a economia", a concessão de maior liberdade às negociações trabalhistas (leia-se, a possibilidade de se passar por cima dos direitos trabalhistas consignados na CLT, como férias e 13º salário, desde que as convenções coletivas assim o acordem).

No mais, a *Ponte* nada menciona sobre reforma tributária e/ou tributação de grandes fortunas e/ou término de isenção tributária sobre ganhos financeiros e lucros enviados ao exterior, e, por fim, atrela a necessária redução dos juros e do crescimento da dívida pública à queda da inflação resultante da "contenção da demanda agregada" (leia-se, nenhuma perspectiva à vista de retomada do crescimento).

Isto posto, a única conclusão a que se pode chegar é que a ponte que assim se constrói é uma ponte para o abismo no qual se precipitará o país, refém de interesses específicos e de uma riqueza privada tirânica que busca o alcance dos próprios objetivos a qualquer custo, mesmo que isso implique lançar 200 milhões de brasileiros no perigoso vazio da anomia social, da qual o modelo conciliatório anterior tenta escapar.

---

[7] Para além de impedir a continuidade da operação Lava Jato, a passagem da Petrobras ao controle privado conformou, de par com a destruição da Constituição de 1988, o conjunto das verdadeiras razões materiais, que motivaram o golpe, dado o interesse que desperta, via pré-sal, nas grandes empresas petrolíferas internacionais.

Rumo à direita na política externa
Gilberto Maringoni

O governo provisório liderado por Michel Temer representa uma guinada conservadora em várias áreas da administração federal em relação ao governo de Dilma Rousseff. Mas há graus diferenciados nessa virada.

Ela é menos sensível na macroeconomia, na qual, tudo indica, as pautas não serão alteradas em sua essência. Seguem vigorando as ideias-força básicas da gestão anterior, dentre as quais estão a taxa de juros elevada, o tripé macroeconômico – metas de inflação, câmbio flutuante e superávits primários nas alturas –, a reforma da previdência como centro dos cortes orçamentários e as privatizações de ativos e do Pré-Sal como formas de ganhar a chamada "confiança do mercado".

A novidade é algo aventado pela equipe anterior, a adoção do orçamento de base zero como rota para o reequilíbrio das finanças públicas. Aumentam a intensidade e a velocidade da implantação das medidas, que devem ser adotadas a ferro e fogo. Em setores como educação, possivelmente serão impostas restrições à drenagem de recursos públicos para monopólios privados, através do Fundo de Financiamento Estudantil (Fies). Isso não deverá acontecer por qualquer sentido de otimização de investimentos, mas por absoluta restrição orçamentária. Há uma inovação importante: ganha fôlego a proposta da direita

78 | Por que gritamos golpe?

fundamentalista, enquadrada sob o epíteto "Escola sem Partido". Caso aprovada pelo Congresso, teremos uma agenda abertamente regressiva no que toca aos conteúdos pedagógicos.

Mas é na política externa que os contornos regressistas saem da esfera das intenções e ganham concretude imediata.

Altiva e ativa

A política externa do governo Lula representou a retomada de uma tradição de autonomia que floresceu no Itamaraty a partir de meados dos anos 1970. Eram os tempos do chamado *pragmatismo responsável*, comandado pelo chanceler Antônio Azeredo da Silveira (1974-1979). A partir dessa base, o ministro das Relações Exteriores, Celso Amorim (2003-2010), denominou suas diretrizes de *política externa altiva e ativa*.

A relativa autonomia brasileira observada entre 2003 e 2010 foi possibilitada pela expansão internacional do mercado de *commodities*, que gerou saldos expressivos na balança comercial, e pelas prioridades estabelecidas pelos Estados Unidos na chamada "guerra ao terror". Caiam para segundo plano as intervenções latino-americanas da superpotência – que se desgastaram em 2002, no desastrado golpe de Estado na Venezuela –, deixando o caminho aberto para ousadias diplomáticas dos países da região.

No Brasil, tal quadro deu margem a uma política monetária expansiva, com a adoção de políticas sociais focadas, elevação real do salário mínimo e taxas ligeiramente mais altas de crescimento do PIB em relação ao observado nos anos 1990. Possibilitou também o advento de uma eficiente orientação anticíclica, que evitou com sucesso a propagação interna dos efeitos da primeira fase da crise internacional de 2008-2009.

Embora não se constitua claramente numa fase desenvolvimentista, pode-se dizer que o período marcou a volta do desenvolvimento à agenda nacional pela primeira vez em quase três décadas.

Nessa conjuntura, a política externa adotou como duas de suas diretrizes a busca de diversificação e a ampliação do leque de parceiros na esfera do comércio.

Assim, além de a China ter se tornado o maior parceiro comercial brasileiro, houve sensível incremento de relações com o Sul do mundo. Essa percepção é confirmada pelo aumento do número de postos diplomáticos no exterior. De 150, no fim de 2002, passaram a 228, em 2014. O número de diplomatas fora do país subiu de 549 para 898 no mesmo período[1].

---

[1] Dados do Ministério das Relações Exteriores.

As iniciativas políticas foram mais significativas. O Brasil teve papel relevante na inviabilização da Área de Livre Comércio das Américas (Alca), durante a Cúpula das Américas de Mar Del Plata (Argentina, 2005), e também assumiu o protagonismo na transformação do Mercosul de área de livre comércio em união aduaneira e bloco político. Além disso, a constituição do G-20 em 2003 e da União de Nações Sulamericanas (Unasul) em 2008, a articulação entre Brasil, Rússia, Índia, China e África do Sul que resultou na constituição do Brics em 2010 e as tentativas de negociação do programa nuclear iraniano no mesmo ano foram resultados exitosos da diplomacia comandada pelo ministro Celso Amorim.

Não ocorreu um afastamento diplomático efetivo diante dos Estados Unidos, mas a atuação desenvolta na cena global marcou a atuação brasileira especialmente nas relações com o mundo em desenvolvimento.

Orientação em xeque

Essa complexa orientação – que sofreu recuos na gestão Dilma Rousseff – está em xeque por parte da administração resultante do golpe de Estado. Há sinais mais claros dessa percepção.

O primeiro é dado pelo único parágrafo a tratar do tema no documento intitulado *Uma ponte para o futuro*, lançado pela Fundação Ulysses Guimarães, do PMDB, no segundo semestre de 2015. A política externa pretendida pelos conspiradores era ali enunciada na penúltima página do livreto:

> Realizar a inserção plena da economia brasileira no comércio internacional, com maior abertura comercial e busca de acordos regionais de comércio em todas as áreas econômicas relevantes – Estados Unidos, União Europeia e Ásia – com ou sem a companhia do Mercosul, embora preferencialmente com eles. Apoio real para que o nosso setor produtivo integre-se às cadeias globais de valor, auxiliando no aumento da produtividade e alinhando nossas normas aos novos padrões normativos que estão se formando no comércio internacional.

São dignas de nota duas afirmativas:

A. "Realizar a inserção plena da economia brasileira no comércio internacional [...] com ou sem a companhia do Mercosul."
Comentário: Embora a crise internacional esteja levando a um enfraquecimento do bloco através da busca de acordos bilaterais de países membros com parceiros externos (Israel, Índia, União Europeia e Estados Unidos), tal empenho nunca foi oficializado como diretriz. A materialização de tais negociações joga por terra a Tarifa Externa

80 | Por que gritamos golpe?

Comum (TEC), mecanismo de taxas aduaneiras preferenciais para o comércio intrabloco.

B. "Apoio real para que o nosso setor produtivo integre-se às cadeias globais de valor."

Comentário: Não está detalhado que tipo de integração seria essa. Mas, a se confirmar a afirmação feita em parágrafo anterior da *Ponte para o futuro* – "executar uma política de desenvolvimento centrada na iniciativa privada" –, estaremos abertos a negócios de toda ordem. Ou seja, a diretrizes que deixam de lado a constituição de qualquer política industrial. Isso nos colocará ao sabor anárquico da rentabilidade do capital.

Aliás, seria interessante que os autores do texto explicassem o que significa "política de desenvolvimento centrada na iniciativa privada", algo não observado em qualquer tempo ou lugar da história do capitalismo mundial[2].

A palavra do novo chanceler

As mudanças de rumo no Itamaraty foram mais claramente ventiladas no discurso de posse do ministro José Serra e nas notas lançadas pelo Ministério de Relações Exteriores (MRE), logo após o golpe.

Em sua fala inaugural, realizada na sede do Itamaraty em Brasília, no dia 18 de maio de 2016, o novo chanceler, entre outras coisas, afirmou:

> A diplomacia voltará a refletir de modo transparente e intransigente os legítimos valores da sociedade brasileira e os interesses de sua economia, a serviço do Brasil como um todo e não mais das conveniências e preferências ideológicas de um partido político e de seus aliados no exterior. Nossa política externa será regida pelos valores do Estado e da nação, não do governo e jamais de um partido.*

Aqui, o novo ministro faz clara tentativa retórica de desqualificar a orientação anterior, sem entrar no mérito de coisa alguma. Vale-se de preconceitos e de certo senso comum difundido pelos meios de comunicação de que políticas ortodoxas seriam neutras ou "de Estado" e sendas distintas estariam a cargo de partidos ou grupos com interesses inconfessáveis. Trata-se de argumento

---

[2] A esse respeito, ver, entre outros, o clássico de Karl Polanyi, *A grande transformação* (Rio de Janeiro, Campus, 2000).

* O discurso completo encontra-se disponível online: "Discurso do ministro José Serra por ocasião da cerimônia de transmissão do cargo de ministro de estado das Relações Exteriores", Brasília, Ministério das Relações Exteriores, 18 maio 2016. (N. E.)

primário, feito sob medida para rechear as manchetes do dia seguinte, como de fato aconteceu.

Afirmou também da necessidade de se "continuar a construir pontes, em vez de aprofundar diferenças, em relação à Aliança para o Pacífico, que envolve três países sul-americanos, Chile, Peru e Colômbia, mais o México".

A Aliança do Pacífico (AP) é uma área de livre-comércio formada em 2010. Ela prevê a livre circulação de bens, serviços, capitais e pessoas e um grande número de acordos bilaterais com vários países e blocos econômicos. A tendência é que o livre-comércio entre seus membros acabe por estimular importações de produtos industrializados dos Estados Unidos via México, país integrante do Acordo de Livre Comércio da América do Norte (Nafta). Assim, a AP funcionaria na prática como desestímulo à instalação de indústrias em seus integrantes, estimulando a exportação de produtos primários. A adesão do Brasil a tratados como a AP trafegaria na mesma direção[3].

Seguindo com o discurso de Serra:

> Vamos ampliar o intercâmbio com parceiros tradicionais, como a Europa, os Estados Unidos e o Japão. A troca de ofertas entre o Mercosul e a União Europeia será o ponto de partida para avançar na conclusão de um acordo comercial que promova maior expansão de comércio e de investimentos recíprocos, sem prejuízo aos legítimos interesses de diversos setores produtivos brasileiros.

Novamente, percebe-se aqui a concepção de uma política comercial tradicional, com preferência para países centrais. Continuando:

> Será dada [ênfase] à redução do custo Brasil, mediante a eliminação das distorções tributárias que encarecem as vendas ao exterior e a ampliação e modernização da infraestrutura por meio de parcerias com o setor privado, nacional e internacional. O custo Brasil hoje é da ordem de 25%, ou seja, uma mercadoria brasileira idêntica a uma mercadoria típica média dos países que são nossos parceiros comerciais, custa, por conta da tributação, dos custos financeiros, dos custos de infraestrutura, dos custos tributários, 25% a mais.

O maior problema do chamado "custo Brasil" não se refere à carga tributária, mas ao câmbio sobrevalorizado, utilizado como âncora do real desde a implantação do plano, em 1994. Tal característica não foi alterada

---

[3] Sobre a AP, ver Aline Ribeiro Oliveira e André Filipe Zago Azevedo, *A criação da Aliança do Pacífico e os impactos para o Mercosul* (Porto Alegre, UFRGS, 2015); disponível em: <http://www.ppge.ufrgs.br/anpecsul2015/artigo/a_criacao_da_alianca.pdf>.

82 | Por que gritamos golpe?

pelos governos Lula e Dilma. Através da sobrevalorização, os manufaturados brasileiros perdem competitividade internacional e o país torna-se mercado propenso à importação. Essa é a raiz do processo de desindustrialização ora em curso.

O ex-ministro Celso Amorim, em artigo intitulado "Guinada à direita no Itamaraty", publicado na *Folha de S.Paulo*, em 22 de maio, comenta aspecto adicional do discurso de Serra:

> A África, de onde provém metade da população brasileira e onde os negócios do Brasil cresceram exponencialmente – sem falar na importância estratégica do continente africano para a segurança do Atlântico Sul – ficará em segundo plano, sob a óptica de um pragmatismo imediatista. Sobre os Brics, o Ibas (Índia, Brasil e África do Sul), as relações com os árabes, uma menção *en passant*. Esqueça-se a multipolaridade, viva a hegemonia unipolar do pós-Guerra Fria. Nada de atitudes independentes.

Notas dignas de nota

Em 13 de maio, ainda antes da posse de José Serra, o Itamaraty lançou uma nota oficial repudiando declarações dos governos da Venezuela, de Cuba, da Bolívia, do Equador e da Nicarágua contra o impeachment. O ataque alcançou também o secretário-geral da Unasul, Ernesto Samper, ex-presidente da Colômbia, que aventou a possibilidade de suspender o Brasil da instituição, invocando sua cláusula democrática.

A nota afirma que:

> Os argumentos apresentados, além de errôneos, deixam transparecer juízos de valor infundados e preconceitos contra o Estado brasileiro. Além disso, transmitem a interpretação absurda de que as liberdades democráticas, o sistema representativo, os direitos humanos e sociais e as conquistas da sociedade brasileira se encontrariam em perigo. A realidade é oposta.[4]

Ao final, o documento assegura que os governos regionais estariam "propagando falsidades" sobre a política interna do Brasil.

A posição do MRE deixou clara a mudança de eixo na política regional brasileira, pautada por tentativas de integração, a partir de 2003.

---

[4] Cf. Ministério das Relações Exteriores, "Declarações do secretário-geral da Unasul sobre a situação interna no Brasil", 13 maio 2016, disponível em: <www.itamaraty.gov.br/pt-BR/notas-a-imprensa/14024-declaracoes-do-secretario-geral-da-unasul-sobre-a-situacao-interna-no-brasil>.

As relações com os vizinhos vinham enfrentando nítido esfriamento a partir do início do governo Dilma, em 2011, mas ainda não havia uma mudança clara de rota. Ponto de destaque nesse caminho foi a cobertura oferecida pela embaixada brasileira, dois anos depois, para a fuga do ex-senador boliviano Roger Pinto Molina, acusado de corrupção em seu país.

O que esperar

Com base nisso tudo, o que se pode esperar do Itamaraty pós-golpe é a retomada de uma diplomacia e de acordos comerciais condizentes com o papel subordinado que um país em acelerado processo de reprimarização econômica pode ter.

O enfraquecimento do Mercosul, a perda de protagonismo do país junto aos Brics – em especial no que toca ao seu banco – e a destinação do Brasil a um papel cada vez mais irrelevante na cena mundial não serão surpresas diante da nova orientação da política externa brasileira.

Tais marcas acontecem em um mundo de agudas disputas comerciais e de turbulências políticas e sociais agravadas pelas opções ultraliberais adotadas no centro do sistema – Estados Unidos e União Europeia – e pela desaceleração chinesa.

As reformas internas imediatamente delineadas pela gestão Temer – com a quebra das características sociais e desenvolvimentistas da Constituição de 1988 – apontam para uma inserção internacional cada vez mais subordinada e passiva. Ou seja, a continuidade do caminho experimentado ao longo dos anos 1990, na gestão de Fernando Henrique Cardoso.

Nesse admirável mundo velho, o papel reservado ao Brasil não é o de disputar rumos, mas o de ser empurrado cada vez mais para a periferia.

Aqui, como em outras áreas, o destino parece ser o de recolocar o Brasil no figurino que lhe cabia antes da Revolução de 1930.

Previdência social: reformar ou destruir?
Eduardo Fagnani

O objetivo de construir uma sociedade civilizada, democrática e socialmente justa deveria mobilizar as diversas tendências políticas do país. A Constituição de 1988 representa um marco do processo civilizatório brasileiro. O novo ciclo democrático inaugurado por ela, associado aos avanços sociais obtidos na década passada, contribuiu para a melhoria do padrão de vida da população, especialmente dos mais pobres.

Não obstante, o Brasil continua sendo um dos países mais desiguais do mundo. Essa marca tem raízes históricas ditadas pela industrialização tardia, pela experiência democrática curta e descontinuada e, especialmente, pelo longo passado escravocrata. Em pleno século XXI, o país ainda não foi capaz de enfrentar as desigualdades históricas herdadas de mais de três séculos de escravidão.

Nessas condições, o primeiro objetivo estratégico de um projeto civilizatório deveria ser enfrentar essas profundas desigualdades históricas. Em segundo lugar, preservar a inclusão social recente e aprofundar a cidadania social assegurada pela Constituição de 1988. Em terceiro, combater as brutais desigualdades de renda. Em quarto, superar o déficit na oferta de serviços sociais públicos, para universalizar a cidadania social.

86 | Por que gritamos golpe?

Criar uma sociedade mais igualitária requer que a gestão macroeconômica proporcione ambiente favorável para alcançar o objetivo de longo prazo de reduzir continuamente a desigualdade. Não existem perspectivas favoráveis para que se construa uma sociedade mais igualitária, se isso não for pensado na perspectiva da democracia e do reforço do papel do Estado.

Impeachment do processo civilizatório

Entretanto, o golpe contra a democracia pavimentou o caminho para que os detentores da riqueza aprofundem radicalmente a agenda liberal-conservadora, rejeitada pelo voto popular nas últimas quatro eleições. O golpe contra a democracia vem acompanhado pelo impeachment do processo civilizatório. Todas as pontes para o desenvolvimento econômico e social estão sendo destruídas em benefício exclusivo do poder das finanças. Foi inventada no Brasil uma oportunidade supostamente histórica, para que os detentores da riqueza concluam em prazo curtíssimo a estratégia que perseguiram sem sucesso nas últimas quatro décadas.

Numa única canetada, ao extinguir ministérios, o governo ilegítimo destruiu mais de trinta anos de luta para construir políticas de direitos humanos e igualdade, cultura, ciência e tecnologia, educação, reforma e desenvolvimento agrário. Tramitam no Congresso Nacional medidas que revogam o Estatuto da Criança e do Adolescente e suprimem direitos conquistados pelas mulheres, negros e comunidades LGBT. O fim do licenciamento ambiental já foi aprovado por uma das casas do Congresso Nacional. A pauta dos ruralistas transfere do Poder Executivo para o Congresso Nacional a competência para demarcar territórios indígenas e áreas quilombolas; modifica a legislação que define o que é trabalho escravo, reduzindo o rigor da lei; e suprime toda e qualquer restrição à compra de terras por estrangeiros.

Num contexto em que a democracia foi violentada, a gestão macroeconômica será ainda mais ortodoxa, inviabilizando qualquer possibilidade de o país retomar o crescimento. O único objetivo é fazer a inflação voltar ao centro da meta a qualquer preço, mesmo que isso signifique a redução da renda do trabalho e a ampliação do desemprego para os patamares de quinze anos atrás. O "tripé macroeconômico", criticado até mesmo pelo *establishment* internacional[1], deverá ser turbinado por dispositivos que visam a assegurar

---

[1] Ver, por exemplo, Jonathan D. Ostry, Prakash Loungani e Davide Furceri, "Neoliberalism: Oversold?", *Finance & Development*, Washington D. C., Fundo Monetário Internacional, v. 53, n. 2, jun. 2016, disponível em: <www.imf.org/external/pubs/ft/fandd/2016/06/ostry.htm>;

a autonomia jurídica do Banco Central e a criação de uma autoridade fiscal independente.

A reforma do Estado objetiva "privatizar o que for possível" nos campos econômico e social. A soberania nacional está em risco e poderá ser abalada pela subtração do monopólio da Petrobras, pela mudança no sistema de partilha na exploração do petróleo e pelo realinhamento com os Estados Unidos na política externa.

As demandas sociais da democracia não cabem no orçamento?

Para aprofundar as políticas econômicas de "austeridade", dá-se por indispensável a radical supressão de direitos sindicais e trabalhistas, que correm risco de retrocederem ao estágio que estavam no fim do século XIX. O agravamento da situação fiscal (sobretudo pela redução das receitas governamentais) leva esse governo a optar pelo radical corte de gastos sociais, viabilizado pela radical supressão de direitos. Os ideólogos liberais tiveram êxito nos esforços para induzir um "consenso" pelo qual estabilizar a dinâmica da dívida pública requer alterar o "contrato social da redemocratização". Venderam a falsa ideia de que a questão fiscal somente será resolvida se se extinguirem os direitos sociais de 1988.

A visão de que "o Estado brasileiro não cabe no PIB" tem sido sentenciada por diversos representantes desse matiz que, entretanto, não escrevem uma linha sequer sobre reduzir gastos com juros (R$ 500 bilhões em 2015, 9% do PIB); tributar os ricos; revisar os incentivos fiscais (R$ 300 bilhões em 2016, 25% das receitas federais); e, combater a sonegação (14% do PIB).

Ao contrário, propõem "reformas amplas e profundas", com destaque para a reforma da previdência e a desvinculação dos ajustes em relação ao salário mínimo e das fontes de financiamento das políticas sociais. Pretendem implantar o chamado "orçamento de base zero", que significa que deixam de existir recursos vinculados para educação, saúde, previdência social, assistência social e seguro-desemprego. As restrições e subtração do gasto social serão aprofundadas com a ampliação da Desvinculação das Receitas da União (DRU), de 20% para 30%.

O objetivo é acabar com a cidadania social conquistada pela Constituição de 1988. Abre-se uma nova oportunidade para que esses setores concluam o serviço que vêm tentando fazer desde a Assembleia Nacional Constituinte.

---

e Jon Stone, "Neoliberalism is Increasing Inequality and Stunting Economic Growth, IMF Says", *Independent*, 27 maio 2016; disponível online.

88 | Por que gritamos golpe?

Caráter fiscalista da reforma da previdência

É nesse cenário mais amplo que se insere a reforma da previdência social, sempre necessária, em todo o mundo, para se ajustar às transformações demográficas. Mas aqui não se pensa em aperfeiçoar o sistema. O objetivo é destruir um dos pilares da proteção social construído em 1988.

A previdência urbana e rural brasileira beneficia diretamente cerca de 30 milhões de famílias e indiretamente mais de 90 milhões de pessoas. Atualmente, mais de 80% dos idosos tem proteção na velhice. A população idosa brasileira em condição de pobreza é inferior a 10%. Sem os benefícios da previdência, esse percentual seria superior a 70%.

Entretanto, não há preocupação com a questão social, redução da pobreza, desigualdade e o subdesenvolvimento do país. O único objetivo, fiscalista, é recapturar esses recursos. Ao colocar a Previdência dentro do Ministério da Fazenda – fato inédito no mundo –, os detentores da riqueza deixam claro que não precisam mais de intermediários. Não há sequer a necessidade de um ministro da Previdência. A própria Fazenda vai completar o serviço iniciado em 1989.

Em última instância, as elites financeiras jamais aceitaram que o movimento social dos anos 1970 e 1980 introduzisse na Constituição de 1988 o capítulo sobre a seguridade social, que captura cerca de 10% do PIB. Então, fazem intensa campanha difamatória sobre a previdência, porque são os gastos mais significativos (7% do PIB). Por trás dessa suposta reforma, oculta-se a mais feroz disputa por recursos públicos. O capital quer de volta os 10% do PIB da seguridade social. Essa disputa por recursos é uma das faces da luta de classes. O propósito é fazer sobrar dinheiro para a gestão da dívida pública – vale dizer, para ser transferido para o capital especulativo.

O mito do déficit

Desde a Assembleia Nacional Constituinte até os dias atuais, esses setores desenvolvem ativa campanha difamatória e ideológica orientada para "demonizar" a seguridade social, especialmente seu segmento da previdência social. É campanha de vale-tudo, para recapturar esses recursos. Em flagrante confronto com a Constituição da República, especialistas esforçam-se para "comprovar" a inviabilidade financeira da previdência, a fim de justificar nova etapa de retrocesso nesses direitos.

Por trás da narrativa do déficit está um discurso ideológico, fruto da desonestidade intelectual de muitos especialistas e amplamente difundido pela mídia. Na realidade, não existe déficit na previdência se se faz o que a

Constituição da República Federativa do Brasil manda fazer e do modo como determina que sejam executados os procedimentos.

O financiamento da previdência em todo o mundo segue o clássico modelo tripartite. Empresários, trabalhadores e governo são responsáveis pela integralização dos recursos. A Constituição de 1988 inspirou-se nesses modelos. Incluiu a previdência como parte da seguridade social (artigo 194). Para financiar a seguridade social, instituiu o Orçamento da Seguridade Social (artigo 195). E, para o governo cumprir a parte que lhe cabe no clássico modelo tripartite, foram criadas duas novas contribuições: a Contribuição Social para o Financiamento da Seguridade Social (Cofins) e a Contribuição Social sobre o Lucro Líquido das Empresas (CSLL).

Mas, no governo de José Sarney (1985-1989), a área econômica deixou de cumprir essa determinação constitucional. Simplesmente, se apropriou das novas fontes de financiamento da seguridade social e continuou a contabilizar apenas as contribuições dos empresários e trabalhadores como fontes de financiamento da previdência social, sem considerá-la parte da seguridade, como rezam os artigos 194 e 195. Essa inconstitucionalidade, iniciada em 1989, foi seguida por todos os governos, inclusive pelas gestões petistas. O suposto "rombo" corresponde à parcela do governo que não é direcionada para o setor.

A seguridade social é superavitária

Os sucessivos governos desde 1989 jamais organizaram a seguridade social, tampouco apresentaram o Orçamento da Seguridade, como ordenam os dispositivos constitucionais. Estudos realizados pela Fundação Anfip e pela economista Denise Gentil (UFRJ) revelam que a seguridade social sempre foi superavitária[2]. O superávit foi R$ 56,7 bilhões em 2010; R$ 78,1 bilhões em 2012; R$ 56,4 bilhões em 2014; e R$ 20,1 bilhões em 2015, apesar da subtração de recursos da DRU (R$ 61 bilhões em 2015) e das enormes desonerações tributárias realizadas nos últimos cinco anos (R$ 142 bilhões em 2015). Na verdade, sobram recursos; mas são utilizados em finalidades não previstas na Constituição da República. Assim, como ocorria na ditadura, a seguridade social continua a financiar a política econômica.

---

[2] Ver Carlos Drummond, "Manipulações e desrespeito à Constituição ocultam saldos positivos", *CartaCapital*, 6 jun. 2016, disponível em: <www.cartacapital.com.br/revista/904/o-deficit-e-miragem>.

90 | Por que gritamos golpe?

O mito da ausência de idade mínima

Outro mito utilizado na ativa campanha difamatória e ideológica orientada para "demonizar" a previdência social é que o Brasil seria "o único país do mundo que não exige idade mínima de aposentadoria". Essa afirmação não se sustenta à luz da Reforma da Previdência Social realizada no governo de Fernando Henrique Cardoso (Emenda Constitucional n.20/98). Desde então, a previdência oferece dois tipos principais de aposentadoria.

O primeiro é a "aposentadoria por idade", concedida aos homens com 65 anos de idade e às mulheres com 60 anos, mais quinze anos de contribuição (trabalhador urbano). Os trabalhadores rurais do sexo masculino podem se aposentar aos 60 anos e as mulheres, aos 55. Portanto, desde 1998, existe sim a "aposentadoria por idade", que responde, atualmente, por mais de 70% das aposentadorias concedidas. Dessa forma, desde 1998, o Brasil passou a exigir idade mínima igual ou superior à praticada em países desenvolvidos, com PIB *per capita* dez vezes maior e expectativa de vida muito superiores. Transpuseram-se para cá padrões semelhantes e até superiores aos existentes em países desenvolvidos. Em 1998, a idade mínima de 65 anos não era adotada nem em países como Bélgica, Alemanha, Canadá, Espanha, França e Portugal (60 anos), ou Estados Unidos (62 anos); e equivale ao parâmetro seguido na Suécia, Alemanha e Áustria (65 anos), por exemplo. Somos um dos países mais desiguais do mundo, mas a sociedade brasileira vive sob regras semelhantes e até mais estritas que das sociedades mais igualitárias do planeta. A vigência de regras semelhantes é paradoxal, se consideramos que não há como demarcar qualquer semelhança ou equivalência entre aqueles países desenvolvidos e o nosso contexto socioeconômico e demográfico de capitalismo tardio.

O segundo tipo de aposentadoria que há no Brasil é a "aposentadoria por tempo de contribuição" (35 anos de contribuição para homens e 30 anos para mulheres). De fato, nesse caso a lei não exige idade mínima. Entretanto, sobre essas aposentadorias incide o "fator previdenciário", criado em 1999, que suprime parcela do valor do benefício até que o contribuinte atinja 65/60 anos e incentiva a postergação da data da aposentadoria. Mas também nesse caso a reforma foi feita. A Medida Provisória 676, aprovada em outubro de 2015, cria uma nova fórmula para o cálculo de aposentadoria, conhecida como Regra 85/95 (soma do tempo de contribuição e idade, para mulheres e homens). O texto estendeu a progressividade da fórmula subindo a soma do tempo de idade e contribuição em um ponto a cada dois anos a partir de 2019 até atingir a Regra 90/100 em 2027. A partir dessa data, a aposentadoria das mulheres exigirá 60 anos de idade e 35 anos de contribuição e, no caso dos homens, 65 anos de idade e 35 anos de contribuição. Como mencionado, essa combinação restritiva só encontra raros paralelos nos países desenvolvidos. O Brasil hoje exige comprovação de tempo superior ao que exige, por exemplo, a Suécia (30 anos de contribuição), e está próximo do nível vigente nos Estados Unidos (35 anos), Portugal (36), Alemanha (35 a 40) e França (37).

O capital quer mais: o Brasil será campeão mundial de exigências para aposentadoria?

Entre as medidas contidas na reforma da previdência sinalizada pelo governo interino está a desvinculação do reajuste dos benefícios ao piso do salário mínimo. Revisitaremos práticas da ditadura militar, quando o governo corrigia os benefícios previdenciários abaixo da inflação, o que corroía o poder de consumo dos aposentados. Para enfrentar essa injustiça, os constituintes instituíram a exigência de que nenhum benefício poderia ser inferior ao piso do salário mínimo.

Se nada mudar, assistiremos a reajustes da previdência que voltarão a ser corrigidos por um índice arbitrário fixado pela área econômica, certamente inferior à inflação. Essa intenção, explicitada pelo ministro da Fazenda, será eficaz para os objetivos fiscalistas. Em poucos anos, o poder de consumo dos aposentados pode regredir significativamente. Como consequência, os gastos da previdência serão reduzidos e recapturados para a gestão da dívida pública.

Outro item da reforma Temer-Meirelles é exigir para todos os tipos de aposentadoria a idade mínima de 65 anos e 35 anos de contribuição. Essa regra se aplicaria inclusive às mulheres e ao contribuinte rural. A visão fiscalista não considera a especificidade da inserção da mulher na sociedade e no mercado de trabalho, nem as enormes heterogeneidades da zona rural brasileira. Como se sabe, mais de 70% da pobreza extrema está situada na zona rural do Nordeste, onde Temer-Meirelles querem aplicar o mesmo padrão de idade exigido na Dinamarca.

Também existe a intenção de transformar a previdência rural em benefício assistencial, com a intenção de fixar o valor desse benefício bem abaixo do piso do salário mínimo e sem regras definidas para a correção monetária. O mesmo deve acontecer com um benefício da assistência social, o Benefício de Prestação Continuada, que atende 4 milhões de famílias cuja renda familiar *per capita* é inferior a um quarto do salário mínimo.

A reforma Temer-Meirelles parece não respeitar sequer os direitos adquiridos. O ministro da Fazenda e da Previdência afirmou que direito adquirido seria "um conceito impreciso", sinalizando que seria necessário incluir na reforma os contribuintes que já estão no mercado de trabalho.

Essa regra não tem precedentes em sociedades civilizadas. Alguns países (Alemanha, Reino Unido e Dinamarca, por exemplo) anunciaram o aumento da idade mínima para 67 anos, mas demarcando claramente um horizonte temporal (entre 10 e 20 anos) para que as novas regras entrem em vigor.

Sem tréguas

Faz parte da narrativa dos golpistas que, após o impeachment, haveria uma trégua política. Os fatos apontam na direção diametralmente oposta. As elites erram ao pressupor que a sociedade brasileira é a mesma de meados do século passado. A ruptura da ordem constitucional reacendeu em parcela considerável da população a urgência de defender a democracia e os direitos humanos, sociais e trabalhistas. É provável que as tensões sociais aumentem, sobretudo em se tratando de governo que não tem a legitimidade do voto popular e cujos quadros estão envolvidos em denúncias de corrupção. O mais provável é que se acirrem os ânimos, a intolerância, e que se aprofunde ainda mais a fratura da sociedade e da luta de classes – que está nas ruas. É o preço que o país pagará pela ganância de suas elites antidemocráticas e avessas a quaisquer movimentos que, por mais modestos que sejam, ousem tentar arranhar privilégios seculares.

Mas a ruptura da ordem constitucional em 2016 pode vir a ser uma oportunidade histórica para que a sociedade brasileira assuma o papel que é dela, no comando do processo de construir um país justo e democrático.

Para mudar o Brasil
Roberto Requião

É sempre a mesma coisa. Uniformemente, invariavelmente a mesma coisa. Eis aí, mais uma vez, o país em convulsão. E o continente sob risco.

Todavia, não me parece que seja o caso de se fazer aqui uma análise de conjuntura. Porque não se trata de uma realidade momentânea, circunstancial. Não estamos diante de um cenário fortuito. Reflete-se no palco toda uma história, longa, secular e dolorosa história de agruras, angústias e tragédias.

A triste Bahia que Gregório de Matos lastimava no século XVII, diante da submissão da colônia ao *sagaz brichote*, é o triste Brasil de agora. Ontem, condenados pelos deuses coloniais e, hoje, amaldiçoados pelos deuses globais, o deus mercado, a carregar sem descanso o fardo do subdesenvolvimento, da dependência, do atraso.

Todas as vezes que nos aproximamos do topo com a carga excruciante, vemos rolar ladeira abaixo o imenso sacrifício despendido em mais uma subida frustrada, para recomeçar a maldita sina.

Na verdade, é fácil prever: sempre que acontece algum avanço, do ponto de vista dos interesses populares e nacionais, segue-se um retrocesso institucional, político, social-econômico. Com uma diferença: os avanços, quase sempre, são epidérmicos, pequenos arranhões na casca grossa que protege os

94 | Por que gritamos golpe?

proveitos, as vantagens e os ganhos das classes dominantes, enquanto os recuos entranham-se fundo no lombo desprotegido das classes populares.

Talvez possamos dizer que a regressão nunca é total, que dos tantos ensaios malogrados ficam pelo caminho pegadas, degraus e atalhos que servirão de referência e apoio para a nova escalada. Além do que, às vezes, as circunstâncias e o vaivém das placas tectônicas do capitalismo mundial criam janelas, frestas por onde respirar. Mas é desalentador, desespera, andar tanto e quase não sair do lugar.

Assim como desacorçoam, exasperam as reações a mais uma traquinada de nossa lúmpen-burguesia. De um lado, dissipam-se energias denunciando, vituperando o governo interino por suas patacoadas, pelo *revival* do festival de besteiras que assolou o Brasil depois do golpe de 1964.

Tudo bem, sigamos os latinos, *ridendo castigat mores*, mas é preciso adicionar ao enredo de nossas respostas e atitudes mais que discursos, palavras de ordem, passeatas e saraus democráticos. Enquanto nos ocupamos apenas da agitação, os golpistas sentir-se-ão (eu também dedico essa mesóclise ao novo governo) confortáveis.

De outro lado, por exemplo, vemos um personagem central do governo deposto, o ministro Nelson Barbosa, um tanto quanto enciumado, despeitado, declarando que o ex-presidente do Banco de Boston está fazendo exatamente aquilo que ele fez ou pretendia fazer. Um plagiador do Barbosa, esse Henrique Meirelles.

Ora bolas, por que então reagir ao golpe se o *condottiere* da economia no governo Dilma quer voltar à cadeira para fazer o que o *condottiere* da política econômica de Temer está fazendo?

Como se vê, não há diferença de substância entre as levyandades, as barbosidades e as mereilladas. Quem se dispõe a se coçar para ver impostos ao país os pressupostos do neoliberalismo?

Assim, toda a argumentação sobre a ilegalidade do afastamento de Dilma – a caracterização do movimento como golpe – corre o risco de enfraquecer e deslegitimar-se diante da ausência de uma proposta que una o país em torno dos interesses populares e nacionais.

Um Programa para o Brasil, que não seja essa medíocre e falaciosa coleção de receitas de ajustes e arrochos fiscais, de austeridade, de corte de gastos e de investimentos públicos, de taxas de juros irracionais, de privatizações e concessões, de avanço sobre os direitos trabalhistas e sobre a previdência, de desregulamentação dos gastos em saúde, educação, habitação popular e saneamento.

Atire-me a primeira, a segunda e todas as pedras quem não viu, com doses maiores ou menores, aplicação de todas essas medidas pelo nosso governo. Voltar atrás nunca mais. Esta foi, com pleonasmo e tudo, uma das palavras de ordem de minha campanha à Prefeitura de Curitiba, em 1985, pois enfrentava um ex-favorito do regime militar.

Voltar atrás nunca mais. Nunca mais um governo submisso aos interesses do mercado, da banca, dos especuladores, do capital internacional e seus prestimosos sócios nacionais. Nunca mais ceder o nosso petróleo, as nossas reservas minerais, as nossas terras, as nossas empresas, privadas ou estatais, trocando *tanto açúcar excelente pelas drogas inúteis...* que aceitamos *do sagaz brichote.*

Sinto-me à vontade para falar assim, porque desde o meu primeiro dia de mandato opus-me fortemente à política econômica da presidente Dilma. É certo que no primeiro quatriênio Guido Mantega acendia velas lá e cá, à busca de um equilíbrio improvável, mas ninguém precisava ser profeta para antecipar o que viria à frente, mais dia, menos dia.

E a presidente é afastada não apenas pelo triunfo da conspiração do mercado, da mídia e da oposição, sob o comando da mídia monopolista e com a simpatia do Norte. O governo cai porque suas iniciativas no campo político, econômico e social, deixando a vaca tossir, levaram a uma brutal insatisfação popular.

Claro, uma insatisfação potencializada pela extraordinária agressão da mídia, pela seletividade do ativismo judicial, e embalada por interesses geopolíticos dos países que disputam, desde sempre, as nossas riquezas e a nossa sujeição.

Insatisfação ainda com um presidencialismo de coalizão que se revela desastroso, impraticável, espúrio. Como governar com 35 partidos, divididos, subdivididos, retalhados em tendências, interesses, ambições e apetites nunca satisfeitos? Acredito que jamais em nossa história vimos um Parlamento tão mercantil e tão corrompido quanto o de hoje.

É uma questão de princípio a resistência nas ruas, nas escolas, nas fábricas, no campo, nas igrejas, nos legislativos municipais e estaduais e no Congresso ao golpe do impeachment.

Mas é também uma questão preliminar, inaugural, estabelecer pontos mínimos de um programa para orientar o governo em sua volta. Na verdade, até mesmo como *condição à sua volta.* Um programa de recuperação do Brasil, de aceleração do desenvolvimento econômico e social. Um programa que supere de uma vez por todas os limites obtusos da *macroeconomia de curto prazo.*

96 | Por que gritamos golpe?

A expressão imediata de nosso descaminho, já faz tempo, é a ampla predominância desse tipo de visão, de uma macroeconomia de voo de galinha, que se nutre do próprio fracasso: quanto maior o apelo a ela, maior a crise; quanto maior a crise, maior o apelo a ela.

Precisamos – o governo retornado precisa – substituir essa visão por uma *economia de desenvolvimento*, com uma combinação de políticas monetária e fiscal que nos coloque no rumo do pleno emprego, pois o direito ao trabalho é o suporte da cidadania.

Isso exigiria, desde logo, quatro medidas conjugadas:

1. Transformação progressiva e ordenada da dívida pública em investimento produtivo, em obras de infraestrutura e em novas fábricas.

2. Controle da entrada e da saída de capitais.

3. Redução da taxa básica e juros a níveis internacionais, para favorecer novos investimentos.

4. Política fiscal e monetária que busque a estabilidade dos preços.

São pontos para sustentar um programa de governo que lanço para o debate. Se não viramos toda a arquitetura da política econômica de cabeça para baixo, não dobraremos a próxima esquina dos desafios nacionais e internacionais.

Evidentemente, não contamos, para essa nova jornada de nossa aventura brasileira, com as classes dominantes, essa lúmpen-burguesia "que tanto no plano intelectual como moral perdeu o sentido da decência e do respeito" (cito aqui um autor italiano).

Incivilizada, inculta, gananciosa, medíocre, sem nenhum senso de história, nenhum sentimento de nacionalidade, preconceituosa, teimosamente escravagista, patética, pretensiosa, a nossa burguesia, diria o pessoal do Porta dos Fundos, é o ó do borogodó.

Eliminando-a da paisagem, sob uma visão histórica, o Brasil como nação é um êxito: saindo de levas populacionais marginalizadas, deslocadas de suas origens, criamos um povo novo. Indígenas, portugueses e africanos, acrescidos depois de gente de todo mundo, formaram o povo brasileiro, hoje uno e diversificado, dotado de identidade, algo que inexistia há relativamente poucas gerações. Estruturamos um sistema produtivo, habitamos um território bem definido, falamos a mesma língua sem dialetos, fundamos um Estado nacional, constituímos memória e sentimentos comuns.

Estamos unidos por uma clara identidade nacional. Ela não tem raízes em ideias de raça ou de religião, em vocação imperial, em xenofobias e ódios, em qualquer tipo de arrogância. Tudo nos une na construção exitosa de um mundo novo no Novo Mundo. Olhamos sempre para o futuro, somos abertos ao que é novo, aceitamos a diferença e temos na cultura – uma cultura de síntese – a nossa razão de existir. *Somos um grande país e temos o maior povo novo do mundo moderno.*

No entanto, miseravelmente, nossa história também registra um enorme fracasso: *esse povo, a imensa maioria, não assumiu até hoje o controle de sua Nação.* O estatuto colonial originário transmudou-se em dependência externa e o escravismo prolongado, em gigantescas desigualdades sociais. Ao longo da história, governado por uma elite que nunca se identificou com seu povo, tampouco se sentiu nacional, o Brasil mudou, mas sempre de forma a conservar relações com o passado.

Até recentemente, essa situação podia perpetuar-se, com alto custo humano, apesar de comprometer significativamente nossa existência. Agora não pode mais: o crescimento demográfico, a formação de inúmeras grandes metrópoles, o acesso à informação e a maior capacitação técnica colocaram nosso povo diante de um dilema incontornável. Cada vez mais, ele pode e deve tornar-se o agente de sua história.

O Brasil, que desde a origem se organizou para servir ao mercado mundial, terá agora de organizar-se para si mesmo. O Brasil de poucos terá de ser o Brasil de todos. Se formos incapazes de dar esse salto, nossa existência como Nação soberana e sociedade organizada estará em perigo. Seria mais realista dizer: com a crise atual *este risco é crescente.*

Essa é a origem e o sentido da crise brasileira atual. Por isso, ela é dolorida, profunda, duradoura. Ela não reside na corrupção, fenômeno sempre presente na natureza humana gananciosa. *Reside, isso sim, na falta de diretrizes das lideranças que galvanize o povo na construção de um Projeto Nacional e que puna aqueles que o desvirtuam.*

Nossa história recente é uma impressionante sequência de promessas frustradas. Muitos brasileiros já se sentem cansados. Para que a desesperança não prospere, devemos aproveitar as circunstâncias de mais uma tragédia para reunir as forças que temos, não apenas para repor um governo e restabelecer a legalidade e sim para, finalmente, começar a mudar o Brasil.

Não está morto quem luta. Não morreu quem sonha.

(Um parêntese, para arrematar as mal traçadas. No início da década de 1980, vivíamos o horror do chamado segundo choque do petróleo. Não tenho os números, mas acredito que foram batidos os recordes de desemprego.

98 | Por que gritamos golpe?

Em todo o país formaram-se os "comitês dos desempregados", permanentemente mobilizados nas ruas. Sob a tal da abertura lenta e gradual, já havia sido decretada a anistia, com a volta dos exilados. O PT organizava-se, os sindicatos ressurgiam. À crise nas cidades, ao desemprego, ao arrocho salarial, somava-se a insatisfação na área rural, de parte dos assalariados e de parte dos pequenos agricultores, dos assentados, dos arrendatários, dos meeiros, dos posseiros. Enfim, no campo e nas áreas urbanas, as massas pobres tornavam-se perigosamente visíveis. Foi nessa conjuntura, e sob tais circunstâncias, que Afonso Arinos de Mello Franco, o velho udenista, pedia que o Brasil elevasse suas preces para agradecer, para congratular os céus por não existir no país um partido bolchevique, aos moldes de 1917 e, dizia, melhor ainda, por não existir no país um Lenin para conduzir tal partido. Do contrário, suspirava aliviado Arinos, haveria uma revolução no Brasil. Não lamento aqui, em mais um tempo de gravíssima crise econômica, política e social, com 11 milhões de brasileiros desempregados, não lamento a inexistência de um partido bolchevique e a ausência de um Vladimir Ilitch. Mas deploro nossa desorganização, nossos desencontros, a nossa autofagia, nossa falta de senso de prioridade e de oportunidade, e a falta de um programa para mudar o Brasil. Será que não está na hora de uma grande e histórica convergência nacional, reunindo todos os que se opõem ao entreguismo, à submissão à globalização financeira, ao assalto aos direitos trabalhistas e previdenciários, à precarização do trabalho, da cultura, da política e da vida? Quem se habilita a dar um passo à frente, rompendo os círculos da mediania e da estreiteza partidária, dos guetos intelectuais e culturais, das amarras e limitações sindicais, dos preconceitos ideológicos, do sectarismo e da intolerância? O não da nossa lúmpen-burguesia ao Brasil já temos há muito tempo. E pelo sim das forças populares, nacionais e democráticas por quanto tempo vamos esperar ainda?)

Os semeadores da discórdia: a questão agrária na encruzilhada

Luiz Bernardo Pericás

O governo provisório do golpista Michel Temer, desde o momento em que tomou posse, começou a aplicar gradualmente sua agenda política conservadora, estimulando o desmonte paulatino do Estado e empreendendo ataques incisivos aos direitos sociais conquistados nos anos recentes. O mandatário interino também indicou suas intenções em relação ao campo brasileiro, levando movimentos sociais, como o Movimento dos Trabalhadores Rurais Sem Terra (MST), a expressar seu repúdio veemente às propostas dos ruralistas ligados ao usurpador. É bem verdade que a insatisfação dos setores progressistas com as diretrizes da presidente afastada Dilma Rousseff em relação à questão agrária era grande havia bastante tempo. A tendência agora, contudo, é que o quadro das relações institucionais entre o atual ocupante do Planalto e os trabalhadores agrícolas só venha a piorar.

Não custa lembrar que, pouco antes das eleições de 2014, a coordenação nacional do MST divulgou uma carta aberta aos candidatos à presidência da República, com diversas propostas para a questão agrária no Brasil. No texto, baseado nas demandas do VI Congresso da organização, em fevereiro

100 | Por que gritamos golpe?

do ano anterior, os dirigentes do movimento exigiam: uma maior democratização da terra e o cumprimento de sua função social; uma política efetiva, estruturante e massiva de reforma agrária popular; a atualização imediata dos índices de produtividade (prevista na legislação brasileira), para permitir o acesso de milhares de famílias a um pedaço de chão; a implementação do Plano Nacional de Reforma Agrária (PNRA), com metas de famílias a serem assentadas e o estabelecimento de prioridades por região; a recuperação de terras por meio de expropriação de latifúndios e de áreas ocupadas ilegalmente (tanto da União como de terrenos baldios invadidos pelo capital bancário especulativo e transnacionais); o assentamento de 120 mil famílias vivendo em condições precárias em acampamentos; o fortalecimento e reorganização do Instituto Nacional de Colonização e Reforma Agrária (Incra); a demarcação e a legalização de terras de quilombolas e indígenas; a garantia de instrumentos de compra de todos os alimentos produzidos pela pequena agricultura, ao ampliar o Programa de Aquisição de Alimentos (PAA) e o Programa Nacional de Alimentação Escolar (PNAE); e a criação de escolas em todos os assentamentos e acampamentos, com a defesa, a universalização, a ampliação de recursos e a implementação do Programa Nacional de Educação na Reforma Agrária (Pronera), entre outras medidas.

Ainda que o documento pré-eleitoral emeessetista fosse endereçado aos diferentes candidatos, a expectativa do movimento era, claramente, que as forças representadas na chapa encabeçada pelo PT saíssem vitoriosas. Setores da oposição de esquerda, contudo, alertaram para o caráter entreguista e conservador daquele governo e a linha que este seguiria após sua possível reeleição. Mas diante da segunda opção (a composição liderada pelo PSDB), o apoio tanto de dirigentes dos movimentos sociais como de artistas e intelectuais acabou sendo direcionado para a então mandatária.

Após o pleito, entretanto, a decepção foi grande. Logo depois de reeleita, Dilma Rousseff indicou como futura ministra da Agricultura ninguém menos do que a senadora peemedebista Kátia Abreu, emblemática empresária pecuarista ligada ao agronegócio. Em outras palavras, Rousseff seguiu o caminho oposto àquele exigido pelos trabalhadores rurais.

Apesar dos avanços em diferentes indicadores sociais na última década, o que se pôde constatar, paradoxalmente, foi o aumento da concentração de terras. Números recentes sobre a ocupação agrária mostram que, em 2010, 238 milhões de hectares eram considerados como "grande propriedade de terra" no Brasil, ao passo que, em 2014, esse número se elevou para 244,7 milhões de hectares, um incremento de 2,5% em apenas quatro anos. Isso significa um aumento de 6 milhões de hectares para as mãos de latifundiários. Dados do *Atlas da terra Brasil 2015*, preparado pela USP/CNPq e coordenado por Ariovaldo Umbelino de Oliveira, por sua vez, apontam a existência de 66 mil imóveis com 175,9 milhões de hectares improdutivos no país.

O agronegócio avança, com seu extrativismo predatório e o cultivo de produtos para exportação, a partir do uso intensivo de pesticidas. Isso significa que a agricultura brasileira se encontra numa situação de nítida aliança entre o capital financeiro e as grandes corporações, com o crédito e os insumos monopolizados nas mãos de bancos e empresas multinacionais: as cinquenta maiores companhias atuantes na agricultura do país, por exemplo, tiveram ganhos gigantescos em 2014, equivalentes a aproximadamente 70% do PIB agrícola. A maior parcela desse faturamento foi de empresas de capital estrangeiro, enquanto muitas nacionais encontram-se endividadas ou dependentes de empréstimos externos. Os oligopólios, por sua vez, se tornam cada vez mais fortes. O Brasil é um dos maiores produtores e exportadores mundiais de grãos de soja, mas apenas um punhado de empresas monopoliza o mercado nacional: Bunge, Monsanto, Cargill, Dreyfus e ADM são as que mais se destacam nesse caso.

A escolha de Abreu para o ministério, portanto, foi um indício claro da alternativa escolhida pela presidente, que naquele momento não priorizou os setores populares e deu sinais favoráveis aos interesses de latifundiários, instituições bancárias, empreiteiros e grupos empresariais. (Em 2014, o Itaú, o maior banco privado do Brasil, teve um aumento de 28,8% de seu lucro líquido em relação ao ano anterior, que chegou a R$ 20,24 bilhões, enquanto o Bradesco apresentou um crescimento de 25,8% de lucro líquido, que foi de R$ 15,089 bilhões.)

O balanço de 2015 realizado pela Comissão Pastoral da Terra (CPT) mostra a situação frágil e instável em que se encontra o meio rural do país. Cortes significativos no orçamento para a reforma agrária (o MDA sofreu uma redução de 49% do total previsto inicialmente pelo governo, enquanto o Incra teve de se conformar com metade do que lhe havia sido prometido) e o incremento na disseminação de pesticidas marcaram o período. O Brasil se manteve, no ano passado, como o recordista mundial no uso de agrotóxicos, muitos deles, com alto potencial cancerígeno, permitindo a utilização de produtos banidos em outras partes do mundo.

A meta de assentamentos nem de longe foi cumprida. E a violência estourou, principalmente nas regiões Nordeste e Norte: inúmeros trabalhadores foram feridos e baleados em confrontos com a polícia e capangas de

102 | Por que gritamos golpe?

fazendeiros, dos quais 49 foram assassinados (o maior número de homicídios no campo desde 2004). O estado de Rondônia encabeçou esse tipo de ocorrência, seguido por Pará e Maranhão. Em 2015, ocorreram centenas de conflitos de terra no Brasil, e mais de 7.500 famílias ingressaram em 27 novos acampamentos que surgiram em oito estados. Até mesmo a disputa pela água se verificou em diversas localidades atingidas pela seca, especialmente no semiárido nordestino. O avanço do agronegócio, das obras públicas de infraestrutura e do grande capital privado no campo só ampliou a pugna contra as populações tradicionais. Por causa disso, os militantes (em particular aqueles ligados ao MST) ocuparam quantidade significativa de propriedades, principalmente na Bahia, em Goiás, no Mato Grosso do Sul, no Paraná e em Pernambuco. A luta foi intensa.

No setor trabalhista, o STF suspendeu, em decisão liminar, a chamada "Lista suja de trabalho escravo", por requisição das megaconstrutoras. Ao longo daqueles doze meses, cerca de mil pessoas foram "resgatadas" de situações análogas à escravidão, um número que nos envergonha e mostra que essa modalidade nefasta precisa ser erradicada de vez por aqui (os estados que se "destacaram" nesse tipo de atividade foram Minas Gerais, Maranhão, Rio de Janeiro e Pará, em setores como construção civil, pecuária e extrativismo vegetal). Vale lembrar que esses "cativos" modernos, vítimas da superexploração laboral, eram, em sua maioria, jovens, do sexo masculino e com baixo nível de escolaridade (alguns menores de idade).

Apesar de todos os indicadores desfavoráveis, a presença de Dilma Rousseff significava a possibilidade de diálogo e negociação com os movimentos sociais. De um lado, era a presidente legítima e democraticamente eleita pela maioria da população. De outro, representava um partido de massas identificado com o campo progressista e com os trabalhadores. A despeito das dificuldades impostas pelo modelo que se consolidava, ainda havia alguma possibilidade de diálogo, por meio de canais como o MDA e frações do próprio PT. Já em relação ao grupo que usurpou o poder, não há dúvidas. Não há espaço para negociações, e a política do porrete contra os trabalhadores do campo tende a se tornar corriqueira. Os projetos dos ruralistas são claros. Eles não permitirão que ninguém impeça suas investidas no agronegócio brasileiro.

Se a situação não fosse grave o suficiente, Temer leva adiante, agora, um processo ainda mais perverso. O projeto "Ponte para o futuro" do PMDB é apenas um dos programas em discussão. Os ruralistas, através do Instituto Pensar Agropecuária e da Frente Parlamentar Agropecuária, apresentaram o documento *Pauta positiva biênio 2016-2017*[1], com medidas visando a "retomada do desenvolvimento econômico" e que passam "pela garantia da ordem pública e da segurança jurídica" e pela "melhoria do ambiente de negócios"! Vale dizer que os termos "trabalhadores rurais", "reforma agrária" e "movimentos sociais" não são citados na proposta.

Essa *Pauta positiva* propõe: a redução do tamanho do Estado; reincorporar o MDA ao Ministério da Agricultura; transferir os programas sociais do MDA para o Ministério do Desenvolvimento Social; estimular a entrada de capitais externos para financiar a agricultura, por meio de adequações dos títulos do agronegócio (CRA e CPR, entre outros); liberar as garantias em excesso ainda vinculadas a dívidas renegociadas no passado; aumentar o volume de recursos para a subvenção econômica; dar "previsibilidade" e "estabilidade" ao Programa de Subvenção ao Seguro Rural; e revogar a decisão de tornar obrigatória a contratação de seguro rural a partir de 1º de julho de 2016.

Em relação ao crédito, defendem "modernizar" a legislação e criar os Fundos de Investimento no Agronegócio (FIA) à semelhança dos Fundos de Investimento Imobiliário (Lei n. 8.668, de 1993). Sobre a questão da "propriedade", o documento apoia a revisão das recentes demarcações de áreas indígenas e quilombolas, bem como de desapropriações para fins de reforma agrária e a revisão das funções do Incra e do sistema de cadastramento das propriedades rurais!

Entre os projetos de lei de "necessária" aprovação, a *Pauta positiva* diz textualmente:

> PL 4059/2012 – O principal objetivo centra-se na possibilidade de aquisições de imóveis rurais por empresas brasileiras com maioria do capital estrangeiro, o que hoje é vedado pelo parecer da AGU n. 01/2010, que equiparou as restrições do estrangeiro para adquirir propriedades rurais para as empresas brasileiras com maioria do capital social de estrangeiros (pessoa jurídica). Com isso, essas empresas brasileiras passaram a se submeter às restrições da Lei n. 5.709/1971. Cumpre salientar, ainda, que o PL veda a aquisição de terras por ONGs estrangeiras, fundos soberanos constituídos por estados estrangeiros.

Também:

> PEC 215/2000 – A proposta, além de abrir a possibilidade de participação do Congresso Nacional no processo de demarcação, traz o entendimento do

---

[1] Disponível para download em: <https://www.socioambiental.org/sites/blog.socioambiental.org/files/blog/pdfs/pauta_bancada_ruralista.pdf>.

104 | Por que gritamos golpe?

Supremo Tribunal Federal (marco temporal e condicionantes) para o texto constitucional, com o objetivo de pacificação dos conflitos no campo, estancando a insegurança jurídica, pois obrigará a Funai e o MPF a cumprir essas determinações. Problema: o conflito existe porque a Funai (Governo Federal) e o Ministério Público Federal (MPF) insistem em discordar do posicionamento do Supremo Tribunal Federal (marco temporal e condicionantes), pretendendo demarcar terras indígenas com base no argumento inconstitucional de que os índios têm o direito originário sobre as terras que ocupam não respeitando as leis tão pouco se as terras foram invadidas por índios ou não.

E então:

PEC 71/2011 – Garante aos proprietários rurais que tenham suas terras reconhecidas como tradicionalmente ocupadas por índios o direito à indenização da terra nua e das benfeitorias úteis e necessárias aos possuidores de títulos dominiais expedidos pelo Poder Público até 05 de outubro de 1988. As terras reconhecidas pela União/Funai como indígenas hoje não são passíveis de indenização (terra nua), apenas são indenizadas as benfeitorias consideradas pela Funai de boa-fé.

Na questão do meio ambiente, os ruralistas querem: transformar o Conama em órgão consultivo, em vez de deliberativo; regulamentar a Lei 12.651, de 2012; um novo Código Florestal, em particular, as Cotas de Reserva Ambiental (CRAs) e o artigo 42 sobre conversão de multas em serviços ambientais.

No item "Infraestrutura e logística", a proposta é a extinção do Conab, ao passo que, sobre as "Relações trabalhistas", ajustar e concluir a votação da lei sobre terceirização, PLC 30/2015, "adaptar" a legislação trabalhista à "realidade do campo" e estabelecer a diferenciação entre "trabalho escravo", "condições degradantes de trabalho" e "jornada exaustiva".

Assim, o projeto da elite rural brasileira ganhou com o usurpador Temer um grande aliado. É só lembrar, como aponta o jornalista Alceu Castilho[2], que o novo ministério escolhido por ele tem, em conjunto, 250 mil hectares de terra e muitos milhões de reais em contas bancárias, além de vínculos estreitos com empresas agropecuárias. Só o ministro da Agricultura, Blairo Maggi (um dos maiores produtores de soja do planeta), por exemplo, possui um patrimônio declarado de R$ 143.272.924. Outros ministros (como o próprio Maggi) são donos de grandes extensões de terra, como Geddel Vieira Lima (PMDB),

---

[2]   Cf. Alceu Castilho, "Ministros de Temer possuem R$ 200 milhões e 250 mil hectares", *Outras Palavras*, 12 maio 2016; disponível online.

Luiz Bernardo Pericás | 105

da Secretaria de Governo, que tem 9.047 hectares e o ministro da Saúde, Ricardo Barros, do PP, com 5.204 hectares.

Esse novo "governo" provisório, de homens, brancos e ricos (representantes dos mesmos grupos que mandam no país há séculos), já está implementando as medidas defendidas pelos ruralistas. O deputado Osmar Terra (PMDB), convidado para encabeçar o Ministério do Desenvolvimento Social, chegou a afirmar, sobre o MST: "Se estiverem usando as verbas públicas para serem eficazes, tudo bem. Mas se for só agitação contra o governo, guerra é guerra. E cada um vai usar as armas que tem: as nossas são as verbas"[3]. A Frente Parlamentar da Agropecuária, por sua vez, sugeriu a Michel Temer um câmbio constitucional para permitir que as Forças Armadas pudessem atuar na repressão a movimentos sociais. Além de tudo isso, o presidente golpista escolheu o general "linha dura" Sérgio Westphalen Etchegoyen para ministro--chefe do recriado Gabinete de Segurança Institucional (uma espécie de novo SNI). Ele será também o "comandante" da Abin, que, de acordo com o jornalista Marco Antônio Martins, "será usada para cumprir a missão que o general recebeu: monitorar os movimentos sociais"[4]. Vale recordar que Etchegoyen criticou duramente a Comissão Nacional da Verdade (CNV). Isso porque seu pai, Leo Guedes Etchegoyen, e seu tio, Cyro Etchegoyen, foram incluídos na lista dos envolvidos em crimes da ditadura (o segundo, por sinal, foi chefe do Centro de Informações do Exército e um dos responsáveis pelo funcionamento de um conhecido centro de tortura em Petrópolis). A ideia básica por trás desse projeto é trazer de volta o conceito de "inimigo interno", a fim de espionar, perseguir e reprimir as organizações de esquerda.

Os trabalhadores rurais, além disso, sofrerão outras consequências do golpe. Entre as propostas dessa administração conservadora, estão a mudança da idade da aposentaria rural para 65 anos, com um valor abaixo do salário mínimo; cortes no subsídio de energia; retirada de investimentos no programa Minha Casa Minha Vida; aumento dos juros para financiamentos agrícolas; fim de desapropriações para a reforma agrária; e esvaziamento estrutural e político do Incra, só para citar algumas.

Mas o governo ilegítimo de Temer não terá vida fácil. O MST manifestou que não reconhecerá o novo mandatário. Os militantes do movimento, na

---

[3] Ver Andreza Matais e Marcelo de Moraes, "Se houver agitação, MST perderá verbas", *O Estado de S. Paulo*, 12 maio 2016; disponível online.

[4] Ver Marco Antônio Martins, "Chefe do GSI nomeado por Temer é de ala que vê MST com preocupação", *Folha de S.Paulo*, 3 jun. 2016; disponível online.

106 | Por que gritamos golpe?

primeira semana após a posse, bloquearam estradas, marcharam nas cidades ao lado de ativistas urbanos e ocuparam prédios públicos, incluindo uma fazenda em Dualinda (SP), que está registrada em nome de um amigo de Temer, mas que é considerada propriedade do próprio "governante". Além disso, estudantes de escolas de ensino médio em áreas de assentamento, no interior do Rio Grande do Sul, ocuparam seus colégios contra o projeto do governador José Ivo Sartori (PMDB), que tem como objetivo privatizar parcialmente a educação pública. Esses atos ecoam as lides estudantis em várias cidades brasileiras, além da resistência histórica de movimentos sociais, como o próprio MST. As lutas urbanas e rurais, através dos estudantes, ocorrem assim simultaneamente em diversas partes do país, de forma combinada. O longo combate está só começando...

Ruptura institucional e desconstrução do modelo democrático: o papel do Judiciário

Marcelo Semer

Escrever sob a tempestade tem dois grandes inconvenientes: a tendência a menosprezar antecedentes mais remotos, que são tão sentidos, e a incapacidade de um olhar desanuviado para o trajeto a seguir. Mas o incômodo de fazê-lo sobre a intempérie tem também uma vantagem. A sensibilidade do impacto nos impede de traduzir simplesmente os acontecimentos como um processo encadeado de eventos, que a distância histórica engendrará uma lógica. Como acreditar que vazamentos de conversas privadas se distribuíram uniformemente entre os que assaltaram e os que foram despojados do poder ou que, ao final, sentenças alcançaram envolvidos de todos os lados. Nesses casos, como se verá adiante, o *timing* das decisões foi tão ou mais importante que o conteúdo. E foi o sentir diário que nos permitiu visualizar isso com precisão.

De toda a forma, é imperioso empreender um mínimo esforço para ver como as nuvens se formaram e os efeitos duradouros que o temporal nos legará. Este artigo não tem pretensão de esquadrinhar histórica ou politicamente a ruptura institucional na qual estamos imersos, e sim apresentar hipóteses que

108 | Por que gritamos golpe?

permitam aferir a relevância do Judiciário no desenvolvimento desse processo e o papel que representará em suas consequências.

Partimos, pois, de duas premissas: o Brasil vive uma ruptura institucional a partir do afastamento ilegal da presidenta, e essa ruptura, não despropositadamente, abre enorme janela de oportunidades para a desconstrução do modelo democrático que reinventamos após a ditadura militar inaugurada com o golpe de 1964.

A primeira premissa não depende de explicação exaustiva, porque já vem sendo desenvolvida por outros autores no correr do processo. Basta lembrar que o movimento pelo impeachment começou antes da posse da presidenta. Desde o início, tratou-se da pena à procura de um crime. Ao fim, são desvios orçamentários, frutos de uma alteração de entendimento do TCU, com efeitos ilicitamente retroativos, que maquiaram a deposição como afastamento, instalando no poder aquele que, presidente em exercício, praticara idênticos atos aos inquinados de ilegais.

O caráter político do processo de impeachment claramente se sobrepôs à exigência jurídica de um crime de responsabilidade, tratado como pretexto para pôr a máquina legislativa em andamento. Máquina dirigida capciosamente por um desafeto da presidenta, afastado pelo STF por desvios de poder contemporâneos ao impeachment, mas só reconhecidos após o encerramento do processo. E a substituição leva ao poder uma plêiade de investigados do escândalo de que se nutriu, a começar pelo próprio interino.

Sem crime de responsabilidade que pudesse servir de base para acusação, o propalado *conjunto da obra* representou um voto de desconfiança, em inequívoca ruptura com o processo eleitoral que o antecedera.

A segunda premissa, o lastro corrosivo da ruptura, dependeria de análise mais aprofundada nos antecedentes do golpe, mas vem sendo rapidamente descortinada, sem escrúpulos, nos projetos, discursos e nomeações da interinidade. É um eficiente ponto de partida constatar como a infraestrutura do golpe é capitaneada pelo setor financeiro e subsidiada pelos comandantes da indústria.

Os humores do mercado, a mão nada invisível que produz instabilidades diárias e projeta o catastrofismo de que se retroalimenta, conjugaram-se com o esforço logístico da campanha industrial. O que move financistas e capitães da indústria, cujos anseios repercutem na classe média urbana, pelo retrato fornecido reiteradamente pela grande mídia, é o aprofundamento das reformas neoliberais que, pouco depois da promulgação, já vinham desfigurando a Constituição Federal de 1988. As reformas dos anos 1990 esvaziaram o potencial de intervenção econômica e abriram as portas do setor público para o investimento e o lucro privados. A flexibilidade na defesa do erário flertou, inclusive, com a flacidez de regras licitatórias de empresas públicas, que mais tarde impactaria no escândalo da Petrobras.

Ainda que esse esforço de privatizações, concessões e parcerias público-privadas não tenha sido estancado sob os governos Lula e Dilma, cuja anuência com o neoliberalismo dividiu prateleiras com bem-sucedidos instrumentos compensatórios de transferências de renda e integração social, o projeto reformista encontrou limites que não conseguiu ultrapassar naquele momento, como o esgarçamento da legislação trabalhista.

O prosseguimento e a expansão das reformas neoliberais são o objetivo central que os move, considerando que as seguidas derrotas eleitorais colocaram em risco a continuação do projeto pela via democrática. E como ocorre nos momentos em que o neoliberalismo disputa o poder, emerge uma aliança tática com o – epistemologicamente paradoxal, mas politicamente inseparável – neoconservadorismo. Isso definitivamente amplia o risco ao modelo democrático. Estamos falando não apenas do abandono do previdenciarismo e dos direitos sociais que o mantém, mas também no retorno a uma política pré-moderna, recheada de apelos morais, com esteio na preservação da ordem e submissão à autoridade.

Cartas na mesa, é o caso de verificar a atuação do Judiciário nas duas pontas da ruptura, na complacência com o afastamento e na flacidez da defesa do modelo democrático.

É bom assentar que a cobertura da mídia ou a supervisão judicial não afastam, *de per si*, a ideia de ruptura. Em um golpe sem armas, sem tanques ou baionetas, Judiciário e imprensa são de fato os principais instrumentos de legitimação.

A questão nem é o grau de consciência ou o partidarismo dos atores da superestrutura. O âmago da conduta complacente se ancora em dois modelos típicos da perversão judicial: a omissão que alimenta a seletividade (em nome de uma suposta neutralidade) e a superação dos princípios pela judicialização da política (que justifica o protagonismo).

Trata-se de entender o papel dos juízes na solução de uma contradição aparentemente insuperável entre o modelo do Estado Democrático de Direito erigido em 1988 e uma tradição autoritária que se soma a uma legislação liberal-conservadora que se seguiu à Carta. Os exemplos da dissonância são muitos: o desprezo contumaz da função social da propriedade (e o não reconhecimento do direito à moradia), o espectro protetivo às instituições financeiras sobre o consumidor ou um direito penal rigoroso e simbólico proveniente de uma

110 | Por que gritamos golpe?

Constituição que, privilegiando a dignidade humana, apostava na intervenção mínima.

O projeto constitucional entrou em disputa tão logo se deu a promulgação, e as leis que a ele se seguiram, em certa medida, demonstram uma espécie de arrependimento.

A legislação penal-guardiã que estranhamente brotou da Constituição cidadã, como a implacável Lei dos Crimes Hediondos, é o exemplo mais paradigmático. No caso criminal, emendas supressivas não são possíveis, porque seus princípios estão embutidos nos direitos fundamentais com natureza de cláusula pétrea. Ainda assim, o sistema vem aderindo ao modelo do gigantismo penal norte-americano. Como explicar, enfim, que a maior expansão carcerária da nossa história tenha se dado sob a égide da Constituição mais garantista que tivemos?

É a interpretação judicial (ou em certa medida, sua ausência) que abre essa porta trágica. Em última instância, é o juiz que permite a transcendência das normas infraconstitucionais – ou, em outras palavras, a revogação tácita dos direitos fundamentais, em nome de políticas ditas emergenciais.

São duas as formas em que se expressam tais perversões.

A primeira é a dita *neutralidade*, omissão atávica do juiz liberal-positivista, que ainda se vê como escravo da lei e fecha os olhos às asperezas ou seletividades do sistema. Supostamente *apolítico*, esse juiz é marcadamente supraconstitucional. Legitima o ordenamento, qualquer que seja ele, com a postura de falsa objetividade, atribuindo as injustiças ao sistema político do qual não faz parte.

Em outra ponta, a perversão do juiz neoliberal, que se marca pelo protagonismo, com o qual promove o Estado penal. Não se esconde atrás da lei, suas opiniões são tão importantes quanto as decisões. Ampara-se no hipotético "princípio da realidade" para tutelar diretamente a sociedade *desamparada*, cansada das brechas legais. Judicializa a política com um *by-pass* na lei. E, por intermédio do poder de cautela, faz-se um juiz supraconstitucional.

As duas mazelas se combinaram nos episódios que compuseram a narrativa jurídica do impedimento.

A falsa neutralidade se impõe em duas dimensões. Primeiro, pela seletividade. Nada foi tão efetivo, para o impacto político, do que a divulgação a conta-gotas e fora de qualquer ordem, de delações e interceptações. A montagem do enredo só foi possível pela ausência absoluta de custódia das informações sigilosas. Vazamentos seletivos e sistêmicos permitiram a construção, com dados reais mas sabidamente incompletos, da trama que mais se adequou à deposição.

A conversa interceptada da presidenta com seu antecessor ganhou a mídia no mesmo dia de sua gravação – efetuada, aliás, após o exaurimento da ordem judicial. O juízo considerou que a natureza da informação, que não revelava atividade delituosa, permitia a defraudação do sigilo, esvaziando, em nome de um suposto *interesse geral*, o direito fundamental à privacidade. Da mesma época, todavia, a gravação que expôs de forma nua e crua o pacto do golpe pela proteção dos investigados, só veio à tona quando o afastamento da presidenta já havia sido decidido.

No STF, a confrontação da seletividade pelo *timing* se deu na prontidão da decisão de duvidosa legalidade da prisão em flagrante do senador Delcídio do Amaral, ao passo em que a medida cautelar de afastamento de Eduardo Cunha repousou inerte por mais de cinco meses antes de ser apreciada, já sem qualquer interferência possível no processo. O tempo dessas decisões foi importante ingrediente.

Mas a neutralidade que melhor define e estigmatiza o impedimento é a consideração descortinada em premissas de votos, discursos e entrevistas dos ministros, de que a tutela judicial se restringiria à salvaguarda do rito. Ao não apreciar tipicidade do crime de responsabilidade nem tutelar abusos de relatório que transborda denúncia, o STF ressuscitou a teoria dos atos *interna corporis*, que deixara de lado em anos a fio de ativismo.

O protagonismo também se revelou curial. O ativismo judicial, herdeiro da melhor tradição da Suprema Corte norte-americana, empregado na salvaguarda de direitos civis, foi se transformando em política judicializada, em caráter paradoxalmente regressivo.

O que sustenta a legitimidade do ativismo é a necessidade de prestigiar princípios constitucionais esvaziados pela inércia do Executivo ou omissão do Legislativo. Com a configuração do Estado social e a compreensão dogmática do poder normativo dos princípios, políticas públicas foram alojadas como princípios na Constituição – uma delas, por exemplo, o direito à saúde integral. É a partir da constitucionalização das políticas, proporcionada pelo legislador (e não contra ele), que os juízes passam a exercer o ativismo para assegurar o que o constituinte etiquetou como obrigações positivas do Estado.

O ativismo, aqui, se transformou em álibi para aniquilamento de princípios constitucionais. É o que acontece quando se estabelece um mítico poder de cautela como forma indiscriminada para permitir novos tipos de detenção, como a *condução coercitiva* para oitiva de investigado que não se ausenta, ou a delação como fundamento para a prisão preventiva.

112 | Por que gritamos golpe?

Contra o réu, todavia, o ativismo é impossível, pois fulmina princípios que sua utilização deveria preservar: o princípio da legalidade, na tipicidade de cautelas prisionais; no caso das delações, ainda o silêncio, que de direito constitucional se transformou em um ônus excessivamente custoso.

A falsa neutralidade e o protagonismo têm o potencial de esvaziar a função jurisdicional de contenção do poder punitivo. O juiz abdica do papel de garantidor dos direitos, para assumir o de vingador social ou condutor de políticas majoritárias.

O quadro que se desenvolve agora é de uma desconstrução sem freios do modelo democrático que o constituinte levantou em 1988 – um Estado de direito com o conjunto de garantias liberais e sociais, centrado na democracia, no pluralismo e na dignidade humana.

O esgarçamento da cidadania já tem mostrado suas garras, com leis de mordaça em diferentes níveis. A mais preocupante é a que, no cínico postulado da falsa objetividade, pretende expulsar a crítica das salas de aula. Foram seus autores, os primeiros a serem recebido no MEC.

O populismo penal que, surpreendentemente, não retrocedeu um milímetro nos governos do PT, apresenta uma pauta ainda mais arrojada pela frente, do enrijecimento feroz dos códigos penal e processual à redução da maioridade penal.

O caminho da secularização nunca encontrou panorama tão hostil quanto neste momento, sobretudo nas questões que interferem na identidade de gênero e de orientação sexual, baluartes do fundamentalismo cada vez mais prestigiado.

A proposta de um direito do trabalho em que o negociado se sobreponha ao legislado tem o potencial de esvaziar todo o aparato protetivo que a Constituição entendeu indisponível.

O que se poderá, então, esperar do Judiciário na defesa desse modelo?

A boa notícia é que o STF sabe o que fazer. Não se pode esquecer que deu contribuição inestimável para explicitação e garantia de direitos fundamentais, como a constitucionalidade de cotas raciais e da união homoafetiva, que desaguou no casamento igualitário. Afastados das mazelas típicas da omissão atávica e do ativismo regressivo, o STF se comportou, na primeira década do século XXI, no expressivo papel de um juiz social, inclusive na seara penal, ao esvaziar varias expressões da legislação do pânico.

A má notícia é que este momento parece já ter se exaurido. A conformação da Corte inverte-se a partir do julgamento do "Mensalão", que representou não apenas um *ponto fora da curva*, como o início da própria.

A ideia do juiz garantidor, contramajoritário, encontrou seu obstáculo mais duro na pressão condenatória. A jurisprudência do STF não foi a mesma depois dessa decisão. De todas as provenientes do processo político que se inicia na crise do "Mensalão" e termina no impedimento, a mais significativa das alterações foi a que fulminou com a presunção da inocência – permitindo execução de pena antes do trânsito em julgado da condenação.

A decisão traduz a um só tempo: a) a reversão de caminho, ao alterar uma decisão de 2009, extremamente bem fundamentada, com repercussão em mudanças legais; b) a contaminação pelo ambiente político, tensionado por projeto de lei de juízes federais no mesmo sentido, em razão das repercussões na esfera da operação Lava Jato; c) a adesão a uma posição "realista" em confronto com a baliza constitucional.

A contar com o STF garantista da primeira década do século XXI, poderíamos ter esperança em que a desconstrução do modelo democrático, talvez encontrasse algum tipo, ainda que pequeno, de objeção. Mas diante da virada hermenêutica recentemente configurada, da combinação de omissão e protagonismo, da submissão de princípios a políticas e do abandono da função contramajoritária e garantidora do juiz, não se pode mesmo contar com qualquer tipo de bonança quando a chuva ceder.

É bem possível que o alagamento dos direitos nos leve a um rebaixamento de patamar. Seguramente, está na hora de construir nossos diques.

Cultura e resistência
Juca Ferreira

Não bastasse a tentativa absurda e desastrada de extinguir o Ministério da Cultura, também foi ameaçado de desmonte, esvaziamento e quebra de autonomia o Instituto do Patrimônio Histórico e Artístico Nacional (Iphan), órgão com oitenta anos de existência e anterior ao próprio MinC.

O presidente interino Michel Temer e seu novo ministro da Cultura, Marcelo Calero, expediram uma medida provisória que cria uma Secretaria do Patrimônio Histórico e Artístico Nacional, com o claro objetivo de interferir e se sobrepor ao rigoroso trabalho técnico realizado pelo Instituto.

O Iphan atua em áreas estratégicas, como a proteção e a fiscalização do patrimônio histórico edificado e a promoção e a preservação do patrimônio imaterial e arqueológico, além de realizar obras do Programa de Aceleração do Crescimento Cidades Históricas. Tem papel estratégico, pois licencia construções, restaurações e reformas em áreas tombadas, participando ativamente como órgão interveniente do licenciamento ambiental. É o único órgão do MinC com unidades em todo o país, atuando num setor extremamente organizado e regulamentado.

O Iphan é instância técnica, com características de órgão de Estado: tem poder de polícia e autoridade para ordenar e restringir interesses privados

116 | Por que gritamos golpe?

e regulamentar intervenções públicas. Assim deve ser preservado, sem interferências indevidas.

O objetivo do governo interino, ao criar uma Secretaria para subordinar o Iphan, é excluí-lo de decisões estratégicas em que patrimônio, interesse imobiliário e projetos de infraestrutura conflitam. É restringir seu escopo de atuação, flexibilizando, inclusive, normas que asseguram a proteção do patrimônio e de áreas ambientais.

O Iphan contribui decisivamente para a proteção de áreas de preservação ambiental. Sua atuação reguladora e fiscalizatória é imprescindível para que zonas costeiras, áreas naturais protegidas, parques e unidades de conservação sejam efetivamente blindadas da especulação imobiliária e da construção predatória.

A Agenda Brasil, trazida por Temer e que pauta seu governo interino, já apontava para uma flexibilização dessa proteção. O próprio senador e ministro afastado Romero Jucá tem um projeto de lei que pretende autorizar empreendimentos imobiliários sem o devido licenciamento ambiental.

Esse projeto já estava tramitando no Congresso quando ocorreu o desastre no Rio Doce, em Minas Gerais. Se com o atual licenciamento ambiental, a ação predatória já consegue burlar as regras de maneira irresponsável e criminosa, imaginemos o que farão se houver flexibilização.

Zonas portuárias, áreas centrais de grandes cidades, antigas áreas industriais e centros históricos, antes desvalorizados, hoje são espaços "nobres", altamente rentáveis para empreendimentos imobiliários ou para "modernas operações urbanas". Nesses locais, o trabalho do Iphan vem impedindo que o importante patrimônio cultural de nossas cidades seja destruído, assim como vem evitando a higienização social desses lugares, que devem ser pensados como espaços sociais vivos e humanos.

É um risco para o país retirar essa atribuição do Iphan e colocá-la nas mãos de uma instância formulada para recepcionar os interesses da especulação mais nefasta.

O governo interino veio com um discurso forte de enxugamento da máquina pública. Com essa justificativa, e apenas uma canetada, extinguiu o MinC. Mas a verdade é que, ao invés de cortar, Temer criou mais uma secretaria na estrutura do MinC, provando, mais uma vez, que seu discurso é uma falácia.

Além disso, a criação de outra estrutura, "competindo" indevidamente com o Iphan, vai gerar sobreposição de atribuições, desvirtuamento de competências e sucateamento institucional.

O que está em risco, portanto, não é apenas o patrimônio cultural do país, mas também a sua mais sólida instituição, o Iphan, o que demonstra a total falta de responsabilidade com a cultura e a nítida capitulação aos interesses mais escusos da política nessa área tão sensível para o desenvolvimento nacional.

Cultura, resistência e democracia

Quem acompanha as políticas e os programas praticados pelo Ministério da Cultura desde o início do governo Lula – mesmo levando em conta os desvios de percurso entre 2011 e 2014 e a redução orçamentária dos últimos anos –, não se surpreendeu com as reações contra a extinção do MinC.

Tristemente, mais uma vez se subestimou a cultura e a credibilidade conquistada por seu ministério no Brasil e no exterior. Os desafios que ao MinC se impõem exigem a força institucional e a autonomia de gestão que só um ministério tem.

Desvalorizar a importância da cultura para o país e, com a extinção da pasta, intentar neutralizar manifestações contrárias ao golpe sofrido pela presidente Dilma Rousseff não surtiram o efeito desejado. Tanto que o governo ilegítimo teve de recuar e recriar o ministério.

Temer reagiu porque subestimou o poder do mundo da cultura. Houve mobilizações e protestos em muitas cidades do país contra a extinção do MinC: sedes foram ocupadas, produtores e cineastas protestaram em Cannes, artistas como Caetano Veloso se mobilizaram, e o Governo interino se surpreendeu com a resposta. Subordinar a cultura à educação é um retrocesso rumo a um Brasil de trinta anos atrás. Antes de recuar, Temer sondou cinco mulheres, artistas e gestoras públicas proeminentes, para que ocupassem a Secretaria de Cultura – que seria subordinada ao Ministério da Educação –, e todas rejeitaram.

A resposta para esse insucesso está nas reações ainda em curso pelo país. Tal fenômeno precisa ser explicado. Há certo ineditismo que não pode nos escapar.

Impressiona o quão diverso é o universo dos que reivindicaram a volta do MinC. Não me recordo de ter visto tamanha reação à extinção de um órgão federal. Uma reação que vai muito além de um movimento que parte de dentro, como algo que representa apenas o desejo dos servidores da pasta.

O MinC possui hoje um corpo técnico que, apesar dos baixos salários, é compromissado e compreende a relevância social da política pública que ajuda a desenvolver. O movimento, entretanto, contou com uma participação

118 | Por que gritamos golpe?

muito mais ampla. Uma multidão tomou conta de unidades do MinC em mais de vinte estados. Atores culturais se manifestam em todo o Brasil e no exterior, contra o golpe e contra o recuo nas políticas postas em prática nos anos anteriores.

Trata-se de um fenômeno político muito curioso, especialmente quando se pensa nos parcos recursos investidos no MinC. A explicação para tal deve ser buscada na observação e na análise das práticas do ministério nos últimos treze anos, no legado de seus projetos e de suas ações.

O MinC nasceu em 1985, sob o signo da democracia. Não poderia ser diferente – apenas em solo democrático a política cultural pode vicejar. Quando há um golpe em curso, como agora, o setor se enfraquece.

O ministério amadureceu e se consolidou ao democratizar suas ações, pondo em prática uma postura republicana, sem partidarismo, sem interdições nem privilégios, buscando melhor atender as necessidades e as demandas culturais em todo o território nacional. O MinC tornou-se o MinC que é hoje de tanta gente pela abrangência e diversidade de suas políticas.

Por isso, artistas, trabalhadores, produtores, empreendedores e ativistas de todos os níveis e de todas as áreas estão mobilizados para defender a continuidade das políticas públicas construídas nesses anos.

Desde 2003 o MinC vem adquirindo relevância para o desenvolvimento cultural e importância social. Alargou sua visão e seu escopo conceitual, ampliou sua compreensão acerca da arte e da diversidade cultural brasileira.

Com a gestão iniciada pelo ministro Gilberto Gil e pelo presidente Lula, o MinC superou sua condição de balcão de negócios e mecanismo de cooptação e passou a discutir políticas culturais fora dos gabinetes.

Foi somente nesse momento que as políticas públicas de cultura passaram a estar presentes nos pontos vitais da cultura brasileira, e o MinC passou a incluir quem nunca havia tido acesso a políticas públicas de cultura.

Cultura e democracia são indissociáveis. Esta é a maior lição. Não por acaso, o campo da cultura tornou-se linha de frente da luta contra o golpe e contra o retrocesso político e social que uma minoria pretende impor ao país.

As quatro famílias que decidiram derrubar um governo democrático
Mauro Lopes

O golpe nem está encerrado quando escrevo este texto; o último ato no Senado está previsto para ocorrer em agosto de 2016 e ainda é junho. E, com as seguidas crises do governo golpista de Temer, nem sequer é possível assegurar que ele será bem-sucedido em seu lance final. Portanto, o desafio é escrever a quente, ainda com as emoções à flor da pele num país em que não há análise, no meio da batalha ainda em curso, realizada a frio. Todos têm um lado no Brasil: a favor ou contra o golpe. Como escapar da ditadura do curto prazo e buscar uma análise para o comportamento da imprensa que perdure um pouco além do horizonte? Escolhi cinco olhares que informam uns aos outros e oferecem minimamente elementos de reflexão:

1. O olhar da história (1964-2016)
2. O olhar da imprensa internacional
3. O olhar das técnicas elementares do jornalismo
4. O olhar das relações entre o governo e a imprensa
5. O olhar da outra imprensa – a contranarrativa

120 | Por que gritamos golpe?

I. A história

Quatro famílias decidiram: Basta! Fora! Os Marinho (Organizações Globo), os Civita (Grupo Abril/*Veja*), os Frias (Grupo Folha) e os Mesquita (Grupo Estado). A essas famílias somaram-se outras com mídias de segunda linha, como os Alzugaray (Editora Três/*Istoé*) e os Saad (Rede Bandeirantes), ou regionais, como os Sirotsky (RBS, influente no sul do país). Colocaram em movimento uma máquina de propaganda incontrastável, sob o nome de "imprensa", para criar opinião e atmosfera para o golpe de Estado contra o governo de Dilma Rousseff, eleito por 54 milhões de pessoas em 26 de outubro de 2014.

A máquina de mídia dessas famílias deixou de fazer jornalismo no termo da palavra – como atividade voltada ao registro e reflexão cotidianos sobre a realidade – para tornar-se uma máquina de propaganda partidária. Essa condição foi admitida e antecipada em 2010 por Maria Judith Brito, presidenta da Associação Nacional de Jornais (ANJ), em entrevista ao jornal *O Globo*. Na ocasião, a executiva do Grupo Folha afirmou textualmente que "esses meios de comunicação estão fazendo de fato a posição oposicionista deste país, já que a oposição está profundamente fragilizada"[1].

Foi o que algumas dessas famílias (os Marinho e os Mesquita, por exemplo) já haviam feito para derrubar o governo João Goulart em 1964. E, antes disso, em 1954, contra Getúlio Vargas. É espantosa a simetria discursiva das máquinas de propaganda na ofensiva contra Goulart e agora contra Dilma.

O mais famoso editorial a favor do golpe em 1964 foi o do *Correio da Manhã* – da família Bittencourt, que depois se arrependeu amargamente e viu seu jornal ser asfixiado pelo regime militar até a morte. O título do editorial de 31 de março tornou-se tristemente famoso: "Basta!". Tinha sido precedido por outro, "Fora!".

Publicou o *Correio da Manhã*: "Se o Sr. João Goulart não tem a capacidade para exercer a Presidência da República e resolver os problemas da Nação dentro da legalidade constitucional, não lhe resta outra saída senão a de entregar o governo ao seu legítimo sucessor".

Cinquenta e dois anos depois, o *Estado de S. Paulo* publicou em 13 de março de 2016 editorial com o mesmo título, "Basta!", e texto similar, mas bem menos articulado e educado que aquele dos Bittencourt: "Chegou a hora de os brasileiros de bem, exaustos diante de uma presidente que não honra o

---

[1] Ver Tatiana Farah, "Entidades de imprensa e Fecomercio estudam ir ao STF contra plano de direitos humanos", *O Globo*, 18 mar. 2010; disponível online.

cargo que ocupa e que hoje é o principal entrave para a recuperação nacional, dizerem em uma só voz, em alto e bom som: basta!".

Como na campanha do início dos anos 1960, as famílias que controlam as grandes mídias nacionais assumiram um protagonismo político decidido, sob a liderança dos Marinho. Na televisão, foram sucessivas edições do *Jornal Nacional* voltadas a destruir Lula – com o objetivo de criminalizá-lo a ponto de impedir sua candidatura nas eleições de 2018, o PT e, finalmente, Dilma. O *Jornal Nacional* não é mais o mesmo. Apenas nos últimos quatro anos, desde 2012, perdeu um quarto de sua audiência, mas ainda assim é capaz de manter 40% da audiência nas regiões metropolitanas do país.

Mesmo fragilizado em relação aos últimos anos, o *Jornal Nacional* foi o principal instrumento da campanha, em articulação com a tropa de procuradores e delegados sob a liderança do juiz Sérgio Moro, em Curitiba. Na véspera do verdadeiro sequestro de Lula, travestido de "condução coercitiva" pela Polícia Federal em 5 de maço de 2016, houve uma edição histórica do *JN*: quarenta minutos de massacre sistemático ao principal líder popular do país desde Getúlio Vargas.

Assim o foi, meses e meses a fio. Manchetes convocando manifestações contra o governo; vazamentos de investigações em articulação com a operação Lava Jato; editoriais, artigos, entrevistas, pesquisas. As quatro famílias, seguidas pelas demais, operaram como numa rede nacional oficial do golpe, numa articulação inédita na história do jornalismo no país – a competição, ícone maior do capitalismo e do discurso de todos esses meios, foi deixada de lado em prol de uma colaboração aberta para derrubar o governo.

O enredo foi o mesmo. Em 2 de abril de 1964, o editorial de *O Globo* celebrava o golpe atacando:

> Agora, o Congresso dará o remédio constitucional à situação existente, para que o País continue sua marcha em direção a seu grande destino, sem que os direitos individuais sejam afetados, sem que as liberdades públicas desapareçam, sem que o poder do Estado volte a ser usado em favor da desordem, da indisciplina e de tudo aquilo que nos estava a levar à anarquia e ao comunismo.

Hoje isso soa inacreditável, mas o golpe militar foi articulado sob o discurso de que ele era feito para preservar as instituições, a democracia e os direitos individuais. Como agora. Novamente em *O Globo*, o porta-voz informal do grupo, o jornalista Merval Pereira, publicou artigo em tom editorial no dia 6 de março de 2016 escancarando o clamor por um golpe de Estado num quase transplante do eixo discursivo contra Jango; liquidou-se a democracia anunciando à praça sua defesa:

122 | Por que gritamos golpe?

Alguma coisa terá de ser feita, e rápido, diante da deterioração do ambiente econômico e da mudança de patamar da crise política, com a operação Lava Jato tendo chegado literalmente às portas do ex-presidente Lula. Se as forças políticas que representam a maioria do país, hoje claramente posicionada contra o PT, não se unirem em busca de uma saída democrática para a crise, estaremos diante de uma ameaça de retrocesso institucional.

Em 1964 o fantasma era o comunismo, Cuba, a União Soviética e os sindicalistas. Mais de cinquenta anos depois, enquanto os Estados Unidos celebravam a reconciliação com a ilha, a mídia brasileira continuou a usar Cuba como espantalho, somando a ela a Venezuela e substituindo "comunistas" por "petistas"; criou-se até uma expressão que evoca a sonoridade de "comunismo": o "lulopetismo".

II. A imprensa internacional

A mídia das quatro famílias meteu-se numa queda de braço com a imprensa internacional na narrativa do golpe. Enquanto no Brasil alardeavam um processo constitucional de impeachment, o ataque à democracia foi denunciado em todos os principais meios de comunicação do planeta.

Dois editoriais consecutivos do *The New York Times* desmontaram todo o edifício discursivo do império midiático brasileiro. No primeiro, em 15 de maio, o mais relevante jornal do planeta afirmou que Dilma caiu por "permitir" as investigações contra a corrupção. O segundo, em 6 de junho, intitulado "Brasil, medalha de ouro em corrupção", foi um ataque direto ao governo golpista: "As nomeações [de Temer] reforçaram as suspeitas de que o afastamento temporário da presidente Dilma Rousseff no mês passado, por acusações de maquiar ilegalmente as contas do governo, teve uma segunda intenção: afastar a investigação [de corrupção]". Para o *NYT*, os sucessivos escândalos no recém--empossado ministério forçaram "Temer a prometer, na semana passada, que o Executivo não interferirá nas investigações na Petrobras, nas quais estão envolvidos mais de quarenta políticos. Considerando os homens de quem Temer se cercou, a promessa soa oca".

A reação do consórcio midiático contra a imprensa internacional oscilou entre o silêncio, a exasperação constrangida e a fúria, a ponto de *O Estado de S. Paulo* publicar um editorial em 29 de maio como que declarando guerra à imprensa de todo o planeta, intitulado "O jogo sujo da desinformação". O primeiro parágrafo chega a ser antológico; o jornal acusa seus pares no exterior de fazer... jornalismo! Está lá: "O Brasil, sua democracia e suas instituições estão sendo enxovalhados no exterior por uma campanha de difusão de falsidades cujo objetivo é denunciar a 'ilegitimidade' do presidente em exercício Michel Temer". Exatamente o que diziam os militares nas décadas de 1960 e 1970.

III. O beabá do jornalismo

Durante a campanha pela derrubada da presidenta eleita, as regras básicas do jornalismo foram mandadas às favas. A noção básica de "ouvir o outro lado" foi liquidada. Os acusados não tiveram direito a voz nas mídias golpistas. Os programas de "debates" receberam por meses apenas aqueles convidados que se dispuseram a emitir declarações contra o governo; intelectuais, artistas e políticos de esquerda foram vetados em jornais, revistas e emissoras de TV e rádio. A única exceção ficou por conta da *Folha de S.Paulo*, que manteve alguns articulistas de esquerda para manter a rota bandeira da "pluralidade".

O caso de Eduardo Cunha é emblemático do comportamento do consórcio midiático-golpista. O principal articulador do golpe no Congresso foi Eduardo Cunha, na qualidade de presidente da Câmara – cargo do qual foi afastado pelo STF em 5 de maio, apenas depois da votação do golpe na Casa. Cunha é um notório corrupto. Os processos e as investigações demonstram que ele usou propinas da ordem de centenas de milhões de dólares para aliciar uma bancada de mais de cem deputados federais pelo golpe. O assunto foi ignorado pelas quatro famílias, sendo objeto de reportagens no espanhol *El País* e na imprensa independente. Cunha foi transformado em interlocutor qualificado e político confiável pela mídia conservadora, que o protegeu até a votação da Câmara, enquanto Lula e Dilma foram tratados como desqualificados e "criminosos".

Uma pedra angular no edifício narrativo da derrubada de Dilma foi a negação da existência de um golpe de Estado. Em 1964 nos anos seguintes, jornais e emissoras de TV e rádio referiam-se ao golpe militar como "revolução", "movimento" ou "restauração democrática" e negavam a existência de um golpe. Agora, dizem "impeachment". Negar o golpe é essencial para a construção simbólica dos golpistas, o que levou a um episódio exemplar.

Em 17 de maio, toda a equipe do longa-metragem *Aquarius*, liderada pelo diretor Kleber Mendonça Filho e pela atriz Sônia Braga, protestou contra o golpe durante a estreia do filme no Festival de Cannes. Durante horas, enquanto as imagens do protesto corriam o planeta, a imprensa articuladora do golpe ignorou o fato. Somente depois que o britânico *The Guardian* colocou a foto na primeira página, com enorme destaque, deram-se conta do vexame e correram para minimizar o estrago em sua própria imagem. Mas a emenda

124 | Por que gritamos golpe?

ficou pior que o soneto. O protesto foi contra o golpe, os cartazes que os artistas seguravam usavam a palavra "Golpe", as manchetes ao redor do mundo escreveram a mesma palavra; mas, para a imprensa brasileira tratou-se de "um protesto contra o impeachment".

IV. O olhar das relações entre o governo e a imprensa

Os governos Lula e Dilma conviveram com a ilusão de que poderiam comprar o silêncio e o apoio das quatro famílias. Há um episódio narrado pelo senador Roberto Requião que desnuda toda a ilusão:

> Segundo ele, no primeiro mandato de Lula, quando [Requião] era governador, foi ao encontro do presidente e lhe contou o que havia feito na comunicação do Paraná, onde acabou com a verba publicitária e investiu todos os recursos na TV Educativa local. Lula teria se animado com o que ouviu e pediu-lhe que conversasse com o então ministro da Casa Civil, José Dirceu. Requião foi ao quarto andar do Palácio e, enquanto contava ao ex-ministro sobre o quanto a TV Educativa estaria sendo importante para o governo, Zé Dirceu teria lhe interrompido e dito: "Requião, mas o governo também tem uma TV". Isso aconteceu antes da criação da TV Brasil, que se deu no segundo mandato de Lula. Requião teria ficado surpreso e perguntou: "Mas que TV, Zé?". Ao que o então ministro, respondeu: "A Globo, Requião".[2]

A soma entregue às quatro famílias entre 2003 (início do governo Lula) e 2014 supera os R$ 7,5 bilhões, com a seguinte distribuição[3]:

- R$ 6,8 bilhões para os Marinho, somando TV, jornal, o portal G1 e a revista *Época*, sendo R$ 6,2 bilhões para a Rede Globo de Televisão (considerando apenas São Paulo, Rio de Janeiro, Minas Gerais, Brasília e Recife, sem contar as afiliadas).
- R$ 599,7 milhões para os jornais *Folha*, *Estado* e *O Globo*.
- R$ 370,9 milhões para a revista *Veja*.

Os governos petistas surraram um argumento ao longo dos anos de que a distribuição das verbas obedecia a um critério "técnico", vinculado à audiência e tiragens. O que fizeram foi investir uma montanha de dinheiro para manter e aprofundar o *status quo* midiático, que acabou por cobrar a democracia como preço de arremate.

---

[2] O relato é do jornalista Renato Rovai e foi publicado na revista *Fórum*, 4 ago. 2015; disponível online.

[3] Os dados são da Secretaria de Comunicação da Presidência da República (Secom).

V. Uma contranarrartiva vigorosa

A contranarrativa do golpe nos anos 1960 foi sustentada por um único e combativo jornal, o *Última Hora*. No mesmo dia da deposição de João Goulart, as sedes do jornal no Rio e Recife foram invadidas e depredadas. O jornalista Samuel Wainer, dono do jornal, exilou-se no Chile e acabou sendo obrigado a vendê-lo para uma das quatro famílias, os Frias, em 1971.

Agora não há um *Última Hora*, mas a internet e as redes sociais viram nascer uma vigorosa imprensa independente do império midiático. Uma teia de sites, blogs, páginas no Facebook e perfis no Twitter assumiu a contranarrativa e denunciou o golpe e a narrativa das quatro famílias, ao lado de poucas publicações da mídia tradicional.

Os números ainda são pequenos quando comparados às audiências dos veículos das famílias dominantes, mas crescem continuamente. As duas principais iniciativas de imprensa independente que atuam no *hard news* (cobertura a quente dos fatos do dia, de preferência em tempo real) são o *Mídia Ninja* (com mais de 850 mil seguidores no Facebook) e os *Jornalistas Livres* (com mais de 450 mil seguidores) e crescem a taxas de 10% ao mês, enquanto os veículos das grandes famílias perdem leitores e audiência continuamente. Nos momentos mais dramáticos do desenrolar do golpe, a rede de mídias independentes atingiu um público estimado em mais de 30 milhões de pessoas, algo como 15% da população brasileira.

O panorama da imprensa brasileira estrangulada pelas quatro famílias foi um dos centros do relatório anual *Liberdade de imprensa no mundo*, da organização não governamental Repórteres sem Fronteiras, divulgado em abril. O Brasil ficou em 104º lugar num ranking de 180 países. Segundo o relatório, "a propriedade dos meios de comunicação continua concentrada em mãos das famílias mais ricas".

Como se comportam as quatro famílias, na definição dos Repórteres sem Fronteiras? Como "coronéis midiáticos", numa alusão aos coronéis nordestinos. Os coronéis do golpe.

Avalanche de retrocessos: uma perspectiva feminista negra sobre o impeachment

Djamila Ribeiro

As questões que assolam o país nos últimos tempos revelam um quadro nebuloso e de retrocessos. O impedimento da presidenta e a ilegalidade que o cerca demonstram uma falência ética e moral de nossas instituições. Porém, para além dessas arbitrariedades, os resultados práticos disso afetarão de modo concreto a vida da população, principalmente da dos grupos historicamente discriminados.

Essas ações já sinalizam para um regresso no que tange os direitos das mulheres e da população negra e indígena.

Sabemos que, de forma geral, quando falamos em Estado democrático de direito, isso não engloba diversos grupos que vêm seguidamente tendo seus direitos aviltados.

Em relação às mulheres, por exemplo, os números são alarmantes. Segundo dados da Unicef na pesquisa *Violência sexual*, o perfil das mulheres e meninas exploradas sexualmente aponta para a exclusão social desse grupo.

A maioria é de afrodescendentes, vem de classes populares, tem baixa escolaridade e habita espaços urbanos periféricos ou municípios de baixo desen-

128 | Por que gritamos golpe?

volvimento socioeconômico. Muitas dessas adolescentes já sofreram inclusive algum tipo de violência (intrafamiliar ou extrafamiliar).

No Brasil, 61% dos óbitos foram de mulheres negras, que foram as principais vítimas em todas as regiões, à exceção da Sul. Merece destaque a elevada proporção de óbitos de mulheres negras nas regiões Nordeste (87%), Norte (83%) e Centro-Oeste (68%).

De acordo com dados do último *Relatório anual socioeconômico da mulher** elaborado pelo Governo Federal, 62,8% das mortes decorrentes de gravidez atingem mulheres negras e 35,6%, mulheres brancas.

Porém, nos últimos anos, podemos observar avanços em algumas áreas. Por exemplo, o aumento da presença da população negra no ensino superior foi de 31% para 44% entre 2001 e 2014.

Segundo dados do Instituto Brasileiro de Geografia e Estatística (IBGE) de 2013, a porcentagem de brancos cursando o ensino superior na faixa etária de 18 a 24 anos era de 79%, enquanto a de negros atingia apenas 21%. Apesar da imensa maioria a frequentar a universidade ainda ser branca, se for comparado com os anos 1990, é perceptível a inserção dos negros no mundo acadêmico. Em 1997, apenas 2,2% de pardos e 1,8% de negros entre jovens de 18 e 24 anos cursavam ou tinham concluído um curso de graduação no Brasil. Parte do aumento desse número é resultado de políticas sociais inclusivas, como a Lei de Cota para Negros e o ProUni. A erradicação da fome e políticas sociais como o programa Bolsa Família foram importantes para atenuar as disparidades.

Com o atual quadro, que já aponta para a redução desses direitos, a situação dessas populações será ainda mais difícil.

Nesse sentido, a organização política desses movimentos se mostra imprescindível. O feminismo negro, por exemplo, vem historicamente pautando a importância e a necessidade de um olhar interseccional das opressões, ou seja, de nos organizamos de modo a interligar nossas lutas e perceber que existem grupos que, por combinar opressões, ocupam um lugar de maior vulnerabilidade social.

Esses grupos mais vulneráveis precisam ter espaço para falarem a partir de suas realidades, para que seja possível a reconfiguração das ações políticas e debates. A esquerda, com esse golpe, tem a oportunidade de se reconstruir, trazendo novos atores e vozes para se repensar um modelo de nação. A voz e as propostas desses grupos precisam estar atreladas a um novo modo de fazer político.

---

* Disponível para download em: <http://www.spm.gov.br/central-de-conteudos/publicacoes/publicacoes/2015/livro-raseam_completo.pdf>. (N. E.)

Feministas negras, como bell hooks e Angela Davis, acreditam que o lugar da marginalidade que alguns grupos ocupam os ajudam a ter um olhar mais amplo da sociedade.

> É essencial para o prosseguimento da luta feminista que as mulheres negras reconheçam a vantagem especial que nossa perspectiva de marginalidade nos dá e fazer uso dessa perspectiva para criticar a dominação racista, classista e a hegemonia sexista, bem como de refutar e criar uma contra-hegemonia. Estou sugerindo que temos um papel central a desempenhar na realização da teoria feminista e uma contribuição a oferecer que é única e valiosa.[1]

A ressignificação dos espaços de poder é urgente para que seja possível a multiplicidade de vozes que compõem a sociedade, a fim de se possibilitar outros olhares e sujeitos que foram historicamente excluídos desses processos.

As mulheres negras mostraram um grande potencial de organização política, em 2015, com a Marcha das Mulheres Negras, que aconteceu em 18 de novembro e reuniu por volta de 40 mil mulheres em Brasília. A organização segue em diversos âmbitos e espaços, assim como o diálogo com outros setores.

Posicionar-se contra esse processo ilegítimo de impedimento, para muitas de nós, mostra-se como uma atitude necessária. Se com nossa frágil e falha democracia a situação ainda era desfavorável, sem ela não é possível seguir lutando pela ampliação dos direitos já conquistados.

Referências bibliográficas

BARRETO, Raquel de Andrade. *Enegrecendo o feminismo ou feminizando a raça*: narrativas de libertação em Angela Davis e Lélia Gonzalez. Dissertação de mestrado, Rio de Janeiro, Pontifícia Universidade Católica do Rio de Janeiro, 2005.

CARNEIRO, Sueli. Estrelas com luz própria. *Revista História Viva*. Edição Especial Temática n. 3 – Temas Brasileiros. São Paulo, Duetto Editorial, 2006.

_____. Enegrecer o feminismo: A situação da mulher negra na América Latina a partir de uma perspectiva de gênero. In: ASHOKA EMPREENDEDORES SOCIAIS e TAKANO CIDADANIA (orgs.). *Racismos contemporâneos*. Rio de Janeiro, Takano, 2003.

---

[1] Ver bell hooks, *Feminist Theory: from Margin to Center* (Boston, South End, 1984), p. 15. Aqui em tradução livre.

130 | Por que gritamos golpe?

COLLINS, P. H. *Black Feminist Thought*: Knowledge, Consciousness and the Politics of Empowerment. Nova York, Routledge, 2000.

CRENSHAW, K. Demarginalizing the Intersection of Race and Sex: A Black Feminist Critique of Antidiscrimination Doctrine, Feminist Theory, and Antiracist Politics. *University of Chicago Legal Forum*, Chicago, v. 1989, n. 1, artigo 8. Disponível em: <chicagounbound.uchicago.edu/uclf/vol1989/iss1/8>.

HOOKS, bell. *Feminism is for Everybody*: Passionate Politics. Pluto Express, 2000.

KILOMBA, Grada. *Plantation Memories*: Episodes of Everyday Racism. Münster, Unrast, 2012.

LORDE, Audre. *Textos escolhidos*. Disponível em: <difusionfeminista@riseup. net>. Acesso em: 10 jan. 2012.

WERNECK, Jurema. Nossos passos vêm de longe! Movimentos de mulheres negras e estratégias políticas contra o sexismo e o racismo. *Revista da ABPN*, v. 1, n. 1, mar.-jun. 2010.

"Em nome de Deus e da família": um golpe contra a diversidade

Renan Quinalha

As crises econômica e política que assolam o Brasil parecem estar ainda longe de um fim. O epicentro desse enorme imbróglio é o pedido de impeachment da presidenta Dilma Rousseff. Instaurado por ato do então presidente da Câmara Eduardo Cunha como uma retaliação ao governo por não ter apoiado sua defesa no processo administrativo que corria contra ele na Comissão de Ética, o impeachment gerou o afastamento provisório de Dilma e até o mês de agosto de 2016 será definido o destino da presidenta depois afastada pelo Senado.

Apesar de iniciado em dezembro de 2015, o processo do impeachment só teve andamento célere, também por iniciativa de Cunha, meses mais tarde, quando a situação política e econômica do país havia piorado com o governo mais fragilizado. Assim, após a aprovação em uma Comissão Especial da Câmara, somente no dia 17 de abril é que foi admitido, na Câmara Federal, o processo de impeachment, pelo placar de 367 votos favoráveis contra 137 contrários.

Houve enorme repercussão dentro e fora do Brasil quanto às motivações dos votos dados pelos deputados. Em vez de mencionarem as acusações de

132 | Por que gritamos golpe?

desrespeito à lei orçamentária, cerne do pedido do impeachment, os deputados deram seus votos baseados apenas em convicções pessoais, geralmente pouco republicanas e sem quaisquer fundamentos legais: "pela esposa Paula", "pela filha que vai nascer e a sobrinha Helena", "pelo neto Gabriel", "pela tia que me cuidou quando era criança", "pela minha família e meu Estado", "por Deus", "pelos militares de 1964" e "pelos evangélicos" foram algumas das justificativas utilizadas pelos deputados para aprovar o procedimento. Nem sequer eram obrigados a apontar as razões de seus votos, mas o fizeram, o que torna bastante sintomático o conteúdo desses discursos comprometidos com a defesa da família tradicional e de sua moral conservadora.

Não à toa, nota-se que tais justificativas de voto, apesar de tão recentes, já começaram cobrando sua fatura do governo interino de Michel Temer: fim do Ministério de Mulheres, Igualdade Racial e Direitos Humanos; Secretaria de Direitos Humanos dissolvida na enorme estrutura do Ministério da Justiça, que tem outras prioridades e diversas outras atribuições; nomeação para a Secretaria de Mulheres, agora subordinada também ao Ministério da Justiça, de uma deputada que já presidiu a Frente Parlamentar Evangélica e é abertamente contrária ao direito ao aborto; extinção da Secretaria de Educação Continuada, Alfabetização, Diversidade e Inclusão (Secadi) no âmbito do Ministério da Educação; escolha de ministros exclusivamente homens e brancos para todos os postos do primeiro escalão do governo; encontro de Temer com o pastor Silas Malafaia para "receber benção"[1] e seu discurso oficial de posse enquanto presidente interino prometendo fazer um "ato religioso" com o Brasil: "Quando você é religioso você está fazendo uma religação. O que queremos fazer agora com o Brasil é um ato religioso, um ato de religação de toda a sociedade brasileira com os valores fundamentais do nosso país"[2].

É verdade que Deus sempre frequentou o discurso dos políticos brasileiros. Também é fato que a bancada religiosa já ocupava um espaço significativo nos governos anteriores. No entanto, com o golpe, esses discursos e medidas iniciais são, do ponto de vista simbólico e prático, ainda mais marcantes para compreender a relevância que o conservadorismo moral terá nas políticas de governo. O que antes parecia ser apenas uma agenda oculta agora escancara seus interesses e projetos com um braço forte no Executivo.

---

[1] Ver Gustavo Uribe, "Temer abre espaço na agenda para receber Silas Malafaia", *Folha de S.Paulo*, 27 abr. 2016; disponível online.

[2] Ver, da redação do UOL, "Católico, Temer reforça aceno a religiosos em seu discurso de posse", *Folha de S.Paulo*, 12 maio 2016; disponível online.

Três facetas do golpe: corrupção, neoliberalismo e conservadorismo

Esses primeiros passos do governo interino, cujo destino ainda é incerto, indicam que o impeachment não é apenas o ponto de chegada do golpe em curso. Ele consiste, na verdade, em seu ponto de partida.

Não se trata de um procedimento legal com o objetivo exclusivo e único de transferir a titularidade do comando do governo. Muito mais do que isso, estamos diante de um efetivo empoderamento de determinados setores do *establishment* político brasileiro, aumentando sua influência nos mecanismos de gestão do presidencialismo de coalizão que nos governa.

Nesse sentido, pode-se afirmar que esse golpe apresenta, pelo menos, três facetas distintas e complementares de um mesmo projeto que foi negociado entre essas forças políticas conservadoras, com o apoio decisivo de parcela da sociedade que foi para as ruas e com o suporte determinante dos maiores veículos da mídia.

A primeira e mais visível delas é o impulso de autopreservação do *establishment* político que busca, a qualquer custo, escapar das investigações criminais. A segunda, por sua vez, é o desmonte da precária proteção social que esse governo interino pretende. Por fim, a terceira dimensão desse golpe é a restrição de direitos civis e políticos dos setores mais vulneráveis da sociedade, minando os poucos mecanismos de proteção dos direitos humanos e aumentando o poder de agenda e de veto dos setores religiosos fundamentalistas no novo governo. "Em nome de Deus e da família" é o lema que indica o tamanho do buraco em que estamos entrando, sobretudo mulheres, negros e LGBTs.

As duas primeiras dimensões do golpe são mais notadas e melhor discutidas já no calor dos acontecimentos. Com efeito, sobre a primeira delas, de acordo com as gravações de Sérgio Machado que foram reveladas, Dilma sofre esse impeachment porque era a única sem disposição para negociar um pacto capaz de travar a operação Lava Jato, como a classe política esperava e exigia de uma presidenta. Todos os alegados motivos para o impeachment, como as pedaladas fiscais, a liberação de créditos suplementares, a crise econômica, a corrupção e até mesmo o "conjunto da obra" já podem ser descartados depois desses áudios. Em relação à segunda dimensão, ganha força no governo interino uma plataforma nitidamente neoliberal de redução da atuação do Estado nas áreas sociais, cujas manifestações mais evidentes já são visíveis nas propostas de desvalorização do salário mínimo, de tentativa de sobrepor o negociado ao legislado no campo trabalhista, de elevação da idade mínima para aposentadoria e de um ajuste fiscal conservador baseado em cortes orçamentários na assistência social, na saúde e na educação.

134 | Por que gritamos golpe?

A terceira dimensão, no entanto, mais subterrânea e de alcance ainda imprevisível, talvez seja a mais perversa por sua invisibilidade e por afetar segmentos sociais desamparados de um estatuto legal de proteção em nossa democracia: trata-se da agenda moral desse golpe tramado e executado por homens brancos, heterossexuais e cisgêneros.

Regimes políticos e regulação das sexualidades

Não é surpreendente que um golpe conservador, sustentado por setores de direita e por parte da classe média que faz da moral sua maior bandeira política, embalada pelo discurso de defesa da família e dos valores religiosos, eleja como ameaça as formas de sexualidade e de desejo que desafiam a heteronormatividade e a cisgeneridade.

A instrumentalização dos marcadores de gênero e de sexualidade para o controle social, domesticando corpos e forjando subjetividades, aconteceu em diversos momentos durante a história com os mais diferentes regimes políticos. Tanto é assim que um indicador fundamental do grau de liberdade, inclusão e democracia de um determinado regime ou governo é a maneira como integra ou não as pessoas LGBTs em seus discursos oficiais e políticas públicas. Em, outras palavras, as diversidades e suas configurações nas tramas do poder ainda são um dos mais importantes termômetros da qualidade de uma democracia.

Por exemplo, no nazismo alemão, a punição aos homossexuais estava consagrada no artigo 175 do Código Penal e, em 1936, chegou-se a organizar um escritório central sob supervisão do comandante das SS, Heinrich Himmler, para combater a homossexualidade e o aborto. Em torno de 50 mil pessoas foram condenadas por serem homossexuais, sendo que 15 mil delas, marcadas pelo triângulo rosa[3], morreram em campos de concentração.

Por sua vez, na Itália fascista, em que não havia um crime tipificado no Código Penal e onde a repressão sexual assumiu um caráter peculiar de uma "revolução antropológica" para criar um novo tipo de homem inteiramente devotado ao Estado, registros apontam que pelo menos trezentas pessoas foram acusadas de pederastia e condenadas ao exílio forçado, enquanto 88 presos foram considerados homossexuais[4].

---

[3] Ver Rudolf Brazda e Jean-Luc Schwartz, *Triângulo rosa: um homossexual no campo de concentração nazista* (São Paulo, Mescla, 2012).

[4] Conferir Lorenzo Benadusi, *Homosexuality in Fascist Italy: the Enemy of the New Man* (Wisconsin, University of Wisconsin Press, 2012).

Mas não são apenas regimes de extrema direita que tiveram esse tratamento de restrição aos direitos de pessoas LGBT. Ainda que determinados setores da esquerda tenham sido os primeiros a acolher e incorporar em suas formulações a defesa e a promoção da diversidade sexual, alguns regimes progressistas também institucionalizaram a violência contra esses segmentos. Na União Soviética, depois de um período de importantes avanços sociais e culturais logo após a Revolução de 1917, inclusive com liberalização dos costumes e maior diversidade de gênero e de sexualidade, a ascensão de Stálin marcou um retrocesso conservador em diversos sentidos. Já na primeira metade de década de 1930, uma nova lei de sodomia desconstruiu o legado da "revolução sexual" desencadeada em outubro de 1917[5], criminalizando novamente a homossexualidade e culminando na condenação de mais de 50 mil homossexuais até os primeiros anos da década de 1980, muitos deles mandados a campos de trabalho forçado (os *gulags*) sob as mais difíceis condições de sobrevivência.

Cuba é outro exemplo de um regime socialista que, embora com significativas realizações de justiça social e igualdade material, não conseguiu assimilar as liberdades sexuais enquanto um valor fundamental democrático até recentemente, quando fez um balanço crítico e pediu oficialmente desculpas pelas perseguições do passado. Poucos anos após a Revolução Cubana, Fidel Castro já revelava, em entrevista, sua concepção da questão da homossexualidade: "Não se deve permitir que os homossexuais ocupem cargos nos quais possam exercer influência sobre os jovens. Sob as condições em que vivemos, por conta dos problemas que o nosso país enfrenta, devemos inculcar nos jovens o espírito da disciplina, da luta e do trabalho"[6]. Isso sem mencionar os milhares de homossexuais enviados às Unidades Militares de Ajuda à Produção (Umap), em que o trabalho forçado e a "reeducação" eram impostos como uma maneira de criar o "novo homem".

Já no Brasil, desde o Código Criminal do Império, de 1830, a prática homossexual não se encontra expressamente criminalizada. No entanto, diversos outros dispositivos legais e contravencionais, tais como "ato obsceno em lugar público", "vadiagem" ou violação à "moral e aos bons costumes", foram mobilizados para perseguir as sexualidades ditas desviantes. Durante a ditadura civil-militar, de forma mais intensa do que em outros períodos da nossa história, o autoritarismo de Estado também se valeu de uma ideologia

---

[5] Ver Dan Healey, *Homosexual Desire in Revolutionary Russia* (Chicago, University of Chiago Press, 2001).

[6] Conforme Alan Young, *Los gays bajo la Revolución Cubana* (Madri, Playor, 1984).

136 | Por que gritamos golpe?

da intolerância materializada na perseguição e na tentativa de controle de grupos sociais tidos como uma ameaça ou perigosos. A criação da figura de um "inimigo interno" valeu-se de contornos não apenas políticos, de acordo com a Doutrina da Segurança Nacional, mas também morais ao associar a homossexualidade a uma forma de degeneração e de corrupção da juventude[7].

Com esses casos tão distintos entre si, referidos aqui apenas pontualmente, não pretendo, de forma alguma, colocar lado a lado nazismo, fascismo, stalinismo, socialismo cubano, ditadura brasileira e governo interino de Temer, como se iguais fossem. É certo que não o são, mesmo que compartilhem, de algum modo e em algum grau, representações negativas e estigmatizantes de sexualidades dissidentes.

Vários outros casos poderiam ser aqui explorados, como o do liberalismo inglês, que só na década de 1960 descriminalizou a homossexualidade[8]. Mas o objetivo desta breve comparação é apenas evidenciar como distintos regimes podem articular um aparato de supressão e perseguição das diferenças, sobretudo quando há uma centralização do poder político e uma sobreposição entre discursos oficiais de governo, religiosos, morais, criminológicos e médico-legais em torno dos "desvios".

A agenda moral do golpe: LGBTs como alvo

Esses exemplos mais extremos mostram que a repressão – ou seja, uma determinada manifestação do poder de caráter negativo e proibitivo – é a mais conhecida das formas de controle sexual. No entanto, sobretudo desde os trabalhos de Foucault[9], o poder deixa de ser visto apenas como interdição para ser entendido também como algo positivo e produtivo. Em outras palavras, o poder não apenas reprime e silencia, mas estimula e até compele a profusão de determinados discursos sobre a sexualidade, pautando padrões de normalidade e, portanto, de exclusão, ainda mais quando o poder político é menos compartilhado democraticamente.

O governo interino Temer, ainda que não seja uma ditadura ou um regime totalitário, tem sua origem em um golpe parlamentar e não em eleições

---

[7] James N. Green e Renan Quinalha, (orgs.), *Ditadura e homossexualidades: repressão resistência e a busca da verdade* (São Carlos, Editora da UFSCar, 2014).

[8] Geraldine Bedell, "Coming Out of the Dark Ages", *The Guardian*, 24 jun 2007; disponível online.

[9] Michel Foucault, *História da sexualidade*, v. 1: *A vontade de saber* (Rio de Janeiro, Graal, 1985).

diretas. Assim, de partida, ele perde em pluralidade e é destituído de uma tensão salutar entre as instituições, marcando um alinhamento ímpar entre Executivo e Legislativo que reforça as agendas conservadoras com essa aproximação institucional.

Ao assumir, desde o Estado, um discurso religioso e com sua base de sustentação parlamentar nitidamente vinculada a setores fundamentalistas, esse governo interino toma o poder como um lugar de irradiação de discursos sobre gênero e sexualidade que colocam em risco conquistas de décadas, pois diversos projetos de lei em trâmite de autoria de parlamentares fundamentalistas terão agora mais chances de serem aprovados no Legislativo e sancionados pelo Executivo. No governo de Dilma, que embora tenha sido péssimo do ponto de vista da promoção dos direitos LGBTs, ao menos não havia esse alinhamento claro entre instituições. Além, contava-se com militantes comprometidos com os direitos humanos dentro da estrutura do Estado, dialogando com os movimentos e resistindo aos retrocessos.

Com esse golpe contra a democracia e os direitos humanos, pode-se dizer que chega à Presidência, por um atalho, uma moral sexual retrógrada, centrada em um modelo único de família como célula elementar da sociedade, contra o que chamam de "ideologia de gênero", prestigiando o matrimônio exclusivo entre pessoas de sexos opostos e com papéis de gênero complementares, cabendo às mulheres serem "belas, recatadas e do lar". Esse governo interino, portanto, é uma bomba-relógio que precisa ser desativada o quanto antes, para que o golpe contra as diversidades não se consume.

Resistir ao golpe, reinventar os caminhos da esquerda
Guilherme Boulos e Vítor Guimarães

O ano de 2016 será lembrado em nossa história por um golpe de Estado. Um golpe sem tanques, como convém aos novos tempos. Tramado nos carpetes do Parlamento, apoiado pela maior parte da imprensa e chancelado pelo Judiciário. Mas, ainda assim, um golpe.

A própria esquerda demorou a assimilar. Não acreditava em sua consumação, talvez porque operasse conceitualmente com o modelo de 1964. E não apenas em relação ao componente militar, mas também ao seu sentido político: não era crível para alguns que pudesse ocorrer um golpe – comandado por empresários e pela direita – precisamente no momento em que o governo petista de Dilma dava sua maior guinada à direita, atendendo a suas demandas e assumindo suas pautas. Para que um golpe?

Essa é uma questão interessante. E que nos remete ao caráter estruturalmente reacionário da burguesia brasileira e ao cardápio que vem por aí.

Para eles, mesmo o ajuste fiscal de Dilma, suas sinalizações quanto às reformas da previdência e fiscal, seu recuo no projeto do Pré-Sal e a lei antiterrorismo, entre outras medidas retrógradas encampadas por seu governo,

140 | Por que gritamos golpe?

tornaram-se insuficientes. Querem mais, muito mais. Querem aplicar um programa que o governo Dilma não teria condições de fazer, um programa que jamais passaria pelo crivo das urnas e, por isso, só poderia tornar-se viável por um atalho golpista.

Esse programa consiste simplesmente em reduzir a pó a rede de proteção social do Estado brasileiro, consagrada na Constituição de 1988 e na legislação trabalhista. Rede essa limitada e precária, mas que se tornou um obstáculo para o modelo selvagem de acumulação capitalista que a elite econômica quer impor como resposta à crise. A ordem é atacar direitos dos trabalhadores, iniciando pela Previdência Social, e eliminar os programas sociais gestados nos últimos treze anos. Além disso, "privatizar tudo o que for possível" e promover o desmonte dos bancos públicos e da Petrobras.

As políticas dos governos petistas representaram avanços sociais, mas com muitos limites e sem tocar nos privilégios e nas desigualdades estruturais de nossa sociedade. Essa era a natureza do pacto. Inegavelmente houve avanços na vida dos trabalhadores: não há mais fome sistêmica no país, a quantidade de famílias com acesso a saneamento e energia elétrica aumentou, implantaram-se políticas públicas de garantia de demanda que trouxeram benefícios reais ao povo (como o Bolsa Família e o Minha Casa Minha Vida), foram criadas cotas para negros em universidades e para alguns concursos públicos e inaugurou-se um ministério para conduzir as políticas de defesa e promoção dos direitos das mulheres, entre outros. O problema é que nenhuma, rigorosamente nenhuma, das mudanças na vida dos trabalhadores foi estrutural. Acima de tudo, foram construídas sem conflito e mobilização popular.

Na lógica do ganha-ganha, vieram também acompanhadas de concessões expressivas para o outro lado. Retroceder na política fundiária, trazer pra dentro do governo a elite especulativa urbana, defender o mecanismo da dívida como se dele dependesse a estabilidade do país, não democratizar as estruturas perenes do Estado (como o Judiciário) e – talvez a que cobrou a fatura com mais vigor – não ter regulamentado os meios de comunicação no Brasil foram os fatores responsáveis por uma gestação tranquila e sem sobressaltos para a serpente que, eclusa do ovo, de pronto mordeu quem estava mais perto.

As forças políticas que estiveram dentro do governo estabeleceram um programa pelo qual, se o andar de baixo passou a ter ganhos, o andar de cima ampliou ainda mais os seus. Mais crédito para as famílias, com lucros descomunais para as instituições financeiras. Maior quantitativo histórico de vagas em universidades criadas nas instituições públicas, e também nas privadas. Criação e regulamentação da Lei Maria da Penha, mas estruturação e fortalecimento da chamada Bancada da Bíblia. Ganhava-se em todos os lados da luta de classes. Mas essa mágica dependia diretamente de uma conjuntura econômica favorável, que não demorou a findar.

Com o ataque mais forte da crise por aqui em 2013-2014 e a impossibilidade fiscal de sustentar a política do ganha-ganha por manejos orçamentários, anuncia-se o esgotamento desse modelo. Com o advento das grandes mobilizações de rua e o aumento significativo das greves e ocupações urbanas, a paz social deu lugar a uma intensa polarização. Por seu lado, a perda da eleição para presidente da Câmara, apesar da maioria parlamentar formal, foi o ápice da crise do modelo de governabilidade preservado pelo PT, a troco de manter as estruturas políticas intocadas. Encerrava-se o ganha-ganha na economia, nas ruas e no parlamento.

Não deixa de ser curioso o fato de que quem rompeu com o pacto não foram os trabalhadores, mas a burguesia e a direita parlamentar. Esse é um ponto central. Mesmo com todos os limites dos governos de Lula e de Dilma, mesmo com os ganhos assombrosos do capital nesses treze anos, havia algo de intragável em seu projeto para uma burguesia que pensa e age segundo os princípios da casa-grande. Isso foi se acumulando, transformando-se em ressentimento social e cultural e expresso na boca dos setores médios urbanos, que massificaram a revolta de rua contra o PT.

Ou seja, mesmo o PT não tendo feito um governo de esquerda, fez o suficiente para a direita não tragar e simbolicamente reagir contra os "vermelhos", os "bolivarianos" e os "comunistas". Ganhou força o tipo de gente que defende a recepção à bala para o MST, o choque cotidianamente nas ocupações urbanas do MTST, a extinção da CUT, a abertura da CPI da UNE. Para eles é intolerável ver negros e negras entrando na universidade e dividindo aeroportos e os mesmos bens de consumo. Que história é essa de direito para empregada doméstica? Publicar periodicamente a lista de empresas com trabalho escravo?

O sentimento de ódio contra o PT fomentado de forma irresponsável e criminosa, sobretudo pelos meios de comunicação, é um sentimento de ódio a tudo que o PT representa simbolicamente para a mentalidade elitista e tacanha. O antipetismo, como fenômeno sociológico, é síntese de antiesquerda, antigay, antifeminista, antinegro, antimovimento social.

É evidente que a narrativa da corrupção também desempenhou um papel decisivo no processo, permitindo a massificação do movimento ao dar uma legitimidade a suas pautas (quem não é contra corruptos?). É igualmente evidente que a corrupção envolvendo os governos do PT é um fato, decorrente do não enfrentamento do sistema político que tem na corrupção um componente

142 | Por que gritamos golpe?

estrutural, via financiamento das campanhas eleitorais. Mas é ainda mais evidente que essa narrativa foi utilizada de maneira seletiva para sustentar um golpe. A maior prova disso é que as manifestações "anticorrupção" desaguaram na ascensão de um grupo de corruptos ao poder. O PMDB, símbolo do fisiologismo da velha política, foi ironicamente o maior beneficiário da cruzada contra a corrupção. Ou seja, por mais que muitos dos que foram às ruas tenham acreditado nisso, não era por causa da corrupção.

Mas o fato é que se esgotou um ciclo. O modelo baseado na conciliação de interesses opostos, de avanços sociais sem mudanças estruturais, enfim, o amplo pacto capitaneado pelo petismo nesses treze anos chegou ao fim com o golpe de 2016. Compreender essa situação, evitando o ressentimento de um lado e a incapacidade de autocrítica de outro, é essencial para a definição das perspectivas para o campo popular e de esquerda em nosso país.

Essas perspectivas nos parecem associadas hoje a dois grandes desafios.

O primeiro e mais imediato é fortalecer a resistência ao governo ilegítimo que se instalou no país. Apesar de seu telhado de vidro – expresso no envolvimento direto de seus quadros nos recentes escândalos de corrupção, que pode vir a derrubá-lo –, não se pode subestimar os riscos desse governo. Se conseguir passar pelos primeiros meses, Temer conduzirá o governo mais perigoso da Nova República (envelhecida).

Isso porque não tem a quem prestar contas na sociedade: não foi eleito por ninguém, não parece alimentar pretensões de continuidade e sabe que governará de todo modo com ampla rejeição popular. Ou seja, pode aplicar o programa mais agressivo contra a maioria do povo da forma como nenhum governo, nem o de FHC, jamais ousou. É a peça perfeita para o capital implementar as contrarreformas no Estado brasileiro. Está em jogo a possibilidade de nos fazer retroceder trinta anos em termos de direitos e de proteção social.

Daí a importância da mais ampla unidade na resistência ao governo usurpador, unidade que precisa ir além das organizações de esquerda e do movimento popular. Sozinhos não tivemos força para barrar o golpe, e sozinhos tampouco teremos força para derrubar Temer. É preciso trazer à cena os trabalhadores, as massas urbanas, que até agora permaneceram fora da disputa das ruas. Esses são os protagonistas capazes de reverter o quadro. A esquerda não será capaz de dar esse passo se não se voltar imediatamente para as periferias, lugar onde estamos poucos, e o qual a maioria das organizações deixou há longos anos para cuidar das disputas institucionais.

Não que a institucionalidade e a disputa eleitoral sejam desimportantes. Nada disso. Mas, descolada do necessário trabalho de base e da mobilização permanente, tornam-se reféns de acordos com os que sempre governaram o Brasil. Dá no que deu. O desafio de mobilizar nossos movimentos e militantes precisa vir acompanhado da atuação orgânica nas periferias e nos locais de trabalho.

Nosso segundo grande desafio é apontar para um novo momento da esquerda brasileira. Encerrou-se um ciclo, baseado na estratégia de conciliação e na manutenção do pacto conservador. Não há mais espaço para a esquerda nesses marcos. É urgente resgatar a radicalidade e os princípios históricos de um projeto popular e anticapitalista, dialogando com os novos movimentos e com as pautas feministas, raciais e LGBT, que mobilizam cada vez mais gente e renovam a esquerda.

Ao esgotamento da estratégia de conciliação precisamos opor um projeto de enfrentamento dos privilégios históricos do 1% que há quinhentos anos dá as cartas no Brasil. Isso implica retomar e ressignificar temas estratégicos, como a reforma tributária e a auditoria da dívida pública, que tocam no caráter concentrador do Estado brasileiro, assim como a questão das reformas agrária e urbana – esta última vinculada à diversidade de pautas do direito à cidade. Essas reformas populares e distributivas precisam estar associadas a um amplo debate na esquerda sobre um novo projeto de desenvolvimento.

À crise de representatividade, ligada ao derretimento do sistema político da Nova República, precisamos opor a defesa da radicalização da democracia. Ou seja, a democratização das estruturas do Estado, com o fim do financiamento privado de campanha, com a criação de novos mecanismos de participação popular e com o combate à sub-representação de mulheres e negros no Parlamento. Construir uma proposta de controle social do judiciário e da mídia é igualmente urgente. Mas, para além disso, é preciso entender como parte da luta por uma democracia de verdade temas que a esquerda frequentemente negligenciou, como o combate ao genocídio da juventude negra nas periferias, o direito das mulheres de decisão sobre os próprios corpos, a diversidade sexual e a luta dos povos indígenas.

É preciso reinventar os caminhos da esquerda na confluência de vários movimentos e tradições diversas. Nesse trajeto, é importante a humildade de respeitar as formas históricas que os trabalhadores construíram em sua luta, mas sem perder a ousadia e a vitalidade expressa em novos movimentos. Esse desafio não será alcançado sem o estímulo a amplas mobilizações: um novo projeto para a esquerda só poderá surgir "a quente", do caldo de lutas massivas.

Entendemos que é fundamental apontar desde já essa necessidade. Muitos a tem colocado e, de nossa parte, temos buscado construir a Frente

144 | Por que gritamos golpe?

Povo Sem Medo como um espaço de agregação de lutas e resistência ao golpe, mas apontando sempre para a necessidade de construir um novo ciclo da esquerda brasileira.

Enfim, precisamos orientar todos os nossos esforços para barrar o projeto antipopular e antidemocrático representado pelo governo Temer. Mas é preciso fazê-lo sem cair nas velhas ciladas da conciliação, pautando um novo projeto.

A luta por uma educação emancipadora e de qualidade
Tamires Gomes Sampaio

A história do Brasil é marcada pela exploração e pela criminalização das camadas mais pobres e negras da nossa sociedade. Mais de dois terços da nossa história foram dominados pelo sistema escravagista, e a abolição da escravidão revelou-se meramente formal, pois não foram tomadas medidas de integração, tampouco de reparação, para os homens e mulheres que foram duramente explorados e excluídos durante anos no Brasil.

O Brasil se tornou formalmente independente de Portugal, mas a cultura colonial não mudou as estruturas e as relações de poder não se transformaram, e isso pode ser observado até hoje, pois vivemos ainda em uma sociedade estruturalmente racista, patriarcal e classista.

A independência não estar ligada à descolonização gerou uma instabilidade democrática no Brasil que é semelhante a outros países que também foram colonizados, tanto na América Latina quanto na África. Adotaram-se quase sempre regimes de governo que foram impostos pelos colonizadores, e, em geral, não se construíram democracias a partir das identidades, diferenças e proximidades que levassem à escolha de um sistema que melhor se adequasse

146 | Por que gritamos golpe?

aos interesses dos povos e das etnias de cada fronteira nacional, demarcadas arbitrariamente, e que respeitasse as histórias dos povos de cada região. Essa mesma dinâmica sempre esteve presente nas opções educacionais. Historicamente, no Brasil, moldou-se uma educação sempre pensada para justificar e ampliar as desigualdades e conservar os lugares já conquistados pelas elites.

No último século, tivemos três golpes de Estado no país e, em menos de trinta anos de Nova República, dois presidentes sofreram processo de impeachment. Isso demostra a grande instabilidade democrática do Brasil, diretamente ligada à nossa história e às formas como lidamos com as atrocidades ocorridas desde o genocídio indígena e a escravidão até as torturas praticadas e fortalecidas durante a ditadura militar e que hoje acontecem cotidianamente nas periferias.

No dia 12 de maio de 2016, houve um novo golpe de Estado em nosso país, quando o Senado aprovou o início do processo de impeachment da presidenta Dilma, apesar de ela não ter cometido nenhum crime de responsabilidade e inexistir qualquer justificativa legal para que fosse afastada do cargo.

O único crime de Dilma Rousseff foi o de representar um projeto de sociedade, iniciado pelo ex-presidente Lula, que tirou mais de 30 milhões de pessoas da miséria, levou energia e água encanada para os interiores do nosso país, construiu mais de dezoito universidades federais e incluiu milhares de jovens negros e pobres nas universidades públicas, por meio da política de cotas e da expansão das federais, que ocorreram com a Reestruturação e Expansão das Universidades Federais (Reuni) e nas universidades privadas, que adotaram programas de bolsas e financiamento, como o Programa Universidade para Todos (ProUni) e o Fundo de Financiamento Estudantil (Fies).

Durante treze anos de mandatos petistas, foi construído um projeto que iniciou a transformação do Brasil. Hoje mulheres jovens e negras ocupam cargos de representatividade; o filho do pedreiro tem chances de virar doutor; a jovem doméstica pode ter uma casa própria, graças ao programa Minha Casa Minha Vida; e os concursos públicos, assim como as universidades federais, estão cada vez mais adotando medidas de ações afirmativas para negros e negras.

Essas transformações que ocorreram são pequenas, mas fortemente simbólicas, pois a estrutura de nossa sociedade continua excludente e a desigualdade socioeconômica ainda é gritante. Mesmo assim, a elite brasileira, historicamente privilegiada em todos os processos políticos, econômicos e culturais, que são herdeiras dos antigos senhores de engenho e dos articuladores civis e militares do golpe de 1964, hoje transformados em latifundiários e grandes empresários, não suportam um mínimo de transformação social. Eles querem a volta para os tempos de austeridade econômica que ampliava as desigualdades, aplicando medidas neoliberais e conservadoras, que reduzem as políticas públicas e favorecem o capital internacional.

Essa parcela da sociedade, derrotada em quatro eleições presidenciais livres e diretas seguidas, se uniu para afastar Dilma Rousseff da Presidência da República e, em poucas semanas de governo interino, anunciou ou aplicou medidas que apontam para um retrocesso nos direitos sociais, econômicos e individuais conquistados pela população mais pobre.

A União Nacional dos Estudantes (UNE) foi criada em 1937 e desde então luta por uma educação de qualidade para todos, por acesso, permanência e assistência estudantil, por um ensino superior emancipatório que garanta o direito à organização dos estudantes e à participação decisória nas lutas educacionais diárias.

A UNE representa todas e todos os estudantes universitários de nosso país e sempre esteve na linha de frente da luta em defesa da democracia e da construção de uma sociedade mais justa e igualitária. Não à toa, uma das primeiras ações do governo militar de 1964 foi o ataque e, posteriormente, a destruição da Casa do Estudante, sede das entidades estudantis, situada na praia do Flamengo, no Rio de Janeiro. Hoje, em 2016, sob a égide do governo interino, o Congresso Nacional propõe a instauração de uma Comissão Parlamentar de Inquérito (CPI) para investigar atividades da UNE, numa clara perseguição ao direito de se organizar dos movimentos sociais.

Nos últimos anos tivemos grandes vitórias na área da educação, a partir dos projetos governamentais implementados, mas a cada dia cresce a sensação que todas essas vitórias estão em risco.

A criação da Lei n. 10.639 de 2003, por exemplo, que determina o ensino da história e da cultura afro-brasileiras nas escolas, é resultado de uma histórica reinvindicação do movimento negro e dos estudantes negros, bem como as cotas nas universidades federais, que aumentaram a presença negra nas universidades. De acordo com uma pesquisa realizada pela Secretaria de Políticas de Promoção da Igualdade Racial (Seppir), entre 2013 e 2015 mais de 150 mil negros foram beneficiados pelas cotas. A universidade hoje está mais diversificada, mas isso ainda é insuficiente. É preciso que o acesso seja acompanhando por políticas de assistência e permanência estudantil, para que o aluno bolsista ou cotista consiga concluir o curso com plenitude. São questões que precisam estar presentes nos projetos de governo – e não estão nesse governo interino.

148 | Por que gritamos golpe?

As políticas de acesso e expansão universitárias também foram grandes vitórias para o movimento estudantil. Hoje, graças às políticas públicas de acesso, o número de estudantes universitários aumenta a cada ano, diminuindo aos poucos com a desigualdade de oportunidades para acessar e permanecer no ensino superior.

Acreditamos que o Estado tenha o dever de garantir o acesso, a permanência e a assistência estudantil de todos os alunos, bem como garantir que a educação seja um meio de emancipar a sociedade e uma das principais prioridades quando se trata de políticas públicas. Para isso, uma luta muito importante dos estudantes é pela destinação de 10% do Produto Interno Bruto (PIB), que deve se juntar à conquista, em 2014, da destinação de 75% dos *royalties* do Pré-Sal para a educação, resultado de muita luta dos movimentos sociais e estudantis.

Da mesma forma, o Plano Nacional de Educação, aprovado em 2014, contempla uma série de metas ligadas à educação, que devem ser priorizadas por qualquer governo, bem como destaca a importância do debate de temas como o da diversidade sexual e de gênero – assuntos que foram duramente atacados pela bancada evangélica e fundamentalista. Parte integrante da base representativa do governo interino, esse agrupamento de deputados e senadores não esconde sua postura machista e racista, além da intolerância em diversas situações.

Em poucas semanas de governo provisório, o Ministério da Educação tem dado claras demonstrações de não compromisso com a manutenção e/ou ampliação desses direitos. Somente nos primeiros dias foram cancelados o Programa de Acesso e Permanência e o Programa Nacional de Acesso ao Ensino Técnico e Emprego (Pronatec), bem como estão sendo estudados propostas e projetos que, se implementados, podem não só trazer retrocessos momentâneos para a educação, mas efetivamente causar um grande prejuízo à democracia brasileira.

Entre esses projetos está, por exemplo, o "Escola sem Partido", que propõe garantir a "neutralidade" na educação brasileira, manifestando uma clara intenção de supressão e perseguição contra os ideais mais progressistas e críticos. Esse projeto educacional expõe e protege os ideais conservadores e fundamentalistas, que sempre foram usados para garantir a manutenção do *status quo* social e econômico, consolidando um ensino meramente técnico e despolitizado.

Todos os avanços que ocorreram nos últimos anos estão em risco, pois o governo provisório já anunciou cortes na educação, a abertura para o capital privado internacional do Pré-Sal e o corte nas bolsas do Programa Institucional de Bolsa de Iniciação à Docência (Pibid). Além disso, o presidente interino Michel Temer nomeou para o MEC um deputado sem qualquer experiência no tema e que faz parte de um partido declaradamente contra as cotas, o ProUni e outras políticas de expansão do acesso à universidade.

Entretanto, a esperança permanece. As universidades já não são mais as mesmas, e uma parte significativa da sociedade se transformou pela educação. Desde junho de 2013 muitos brasileiros redescobriram as ruas como um espaço de fazer política e de lutar por seus direitos. Houve, ao mesmo tempo, o surgimento dos movimentos conservadores e de novas formas de manifestação e de organização com pautas nitidamente progressistas, trazendo à tona palavras de ordem de combate às opressões e que revelaram uma geração de jovens que não aceitam o retrocesso.

As ocupações de escolas secundaristas que vem acontecendo por todo o Brasil, os comitês estudantis contra o golpe, as paralisações políticas nas universidades, os diversos atos, os "escrachos" e as manifestações espontâneas que acontecem diariamente demonstram que a juventude não aceitará calada a retirada de direitos e irá lutar, ocupar e resistir contra o conservadorismo golpista de um governo temeroso.

A jovem democracia brasileira se demonstrou frágil, mas a força e a criatividade da juventude apontam para a consolidação de novos meios de se fazer política, priorizando o combate ao machismo, ao racismo e a lgbtfobia. Hoje desponta uma juventude que luta por uma educação emancipadora e de qualidade para todos e todas, com jovens, mulheres, LGBTs, indígenas e negros na linha de frente dos processos. É a partir daí, com uma construção coletiva baseada na diversidade que existe em nosso país, que podemos construir um sistema político realmente democrático e fortalecido.

A pauta desse movimento começa pela defesa de uma educação de qualidade, uma educação que liberte e que represente a realidade de nossa história, que reflita nossa diversidade cultural, que não sustente a intolerância religiosa ou qualquer outro tipo de opressão. Uma educação que se inspire nos ensinamentos de Paulo Freire, que transforme o indivíduo em um cidadão pleno de seus direitos e deveres. De cidadãs e cidadãos que não fiquem calados diante das tentativas de retirada de seus direitos, que não se conformam com a dominação de uma parcela minoritária da sociedade no comando do país e que atue na construção de uma sociedade verdadeiramente justa, democrática e popular.

Por uma frente ampla, democrática e republicana[1]
André Singer

O golpe parlamentar em curso colocou a classe trabalhadora numa situação de defensiva, qualquer que seja o seu resultado. Entender o quadro a partir do ângulo de classes é o mais rentável do ponto de vista analítico. O governo de Michel Temer, até este momento interino, apresenta um programa claramente neoliberal. Com algumas diferenças, é o mesmo responsável pela quebra dos países do sul da Europa e vem sendo implementado em diversos lugares, com características locais, mas sempre com igual sentido. Basta ver as propostas que estão sobre a mesa – e as que permanecem no ar – para verificar

---

[1] Este texto é fruto de intervenção realizada no seminário "Os caminhos da esquerda diante do golpe" (Universidade de São Paulo, maio de 2016). Mantive o caráter oral da exposição, embora tenha tirado repetições e precisado inúmeras passagens. Agradeço aos professores Ricardo Musse e Lincoln Secco pelo convite para participar do debate e a Ivana Jinkings pelas condições de produção e edição do resultado final.

152 | Por que gritamos golpe?

o caráter da ofensiva em curso[2]. Para exemplificar o que desejo transmitir e ser breve, vou me referir apenas a temas estruturais.

Em 24 de maio de 2016, foi dada a largada para a plataforma regressiva. O ministro da Fazenda, Henrique Meirelles, anunciou uma Proposta de Emenda à Constituição (PEC) que contém o aumento do gasto público por prazo prolongado, limitando-o à inflação. Isso significa constitucionalizar restrições ao investimento social, na mão contrária do que foi decidido em 1988, quando promulgada a atual Carta. Se aprovada a PEC ora anunciada, a margem de manobra do Estado ficaria restrita, mesmo que a receita volte a subir, o que certamente vai acontecer porque a economia não permanecerá sempre em recessão. Trata-se de mudança que implica congelar, por tempo amplo, as possibilidades de diminuir a desigualdade via políticas sociais. Seria uma maneira de brecar o decidido pelo Congresso Constituinte eleito em 1986.

Em segundo lugar, fala-se em instituir idade mínima para a aposentadoria, assunto que estava parado há quase vinte anos. Quando em 1998 Fernando Henrique Cardoso tentou levá-lo adiante, foi barrado na Câmara dos Deputados (é verdade que por apenas um voto). Hoje, a intenção de Temer é mais radical do que a de FHC, pois pretende atingir os que já que estão no mercado de trabalho. Constitui questão de grande impacto, pois diz respeito a um dos mais importantes direitos do trabalhador: o de ter uma garantia de renda por parte do Estado depois de ter passado uma vida na labuta. Convém lembrar que muitos dos brasileiros de baixa renda começam a trabalhar muito cedo, sendo os principais prejudicados pela eventual mudança.

Terceiro, cogita-se de desvincular a seguridade social dos aumentos do salário mínimo. Para se ter uma ideia do que está em jogo, o economista Guilherme C. Delgado, do Instituto de Pesquisa Econômica Aplicada (Ipea), mostra que há 30 milhões de benefícios vinculados ao salário mínimo: 18,3 milhões da própria Previdência, 8 milhões do seguro-desemprego e 3,9 bilhões do Benefício de Prestação Continuada (BPC)[3]. São direitos da base da pirâmide que equivalem, em valor, a dez vezes o Bolsa Família. "Removido esse vínculo, a questão do piso de benefícios sociais passaria a ser assunto

---

[2]   Recomendo, a respeito, a leitura do artigo "Governo Temer não fugirá da agenda impopular", de Antônio Augusto de Queiroz, diretor do Departamento Intersindical de Assessoria Parlamentar (Diap), disponível para consulta em: <http://www.agenciasindical.com.br>.

[3]   Ver Guilherme C. Delgado, "'A Retórica da Intransigência' outra vez na liquidação da política social", *Plataforma política social*, 17 maio 2016; disponível em: < http://plataformapoliticasocial.com.br/a-retorica-da-intransigencia-outra-vez-na-liquidacao-da-politica-social/>.

André Singer | 153

administrativo do Ministério da Fazenda, a serviço do 'ajuste fiscal', como assim o fora na época dos governos militares", afirma Delgado. Em um cálculo inexato, mas expressivo, multiplique-se o número de benefícios por quatro (a família média) para imaginar quantos cidadãos poderiam eventualmente ser indiretamente atingidos pela medida em cogitação.

Quarto. É possível que se tente privatizar empresas públicas de sociedades de economia mista, como os Correios e a Casa da Moeda, além de setores da Petrobras e da Eletrobras, afirma Queiroz no artigo citado anteriormente. Com efeito, o documento "A travessia social", divulgado pelo PMDB às vésperas da ascensão de Temer, defende que "o Estado brasileiro expandiu demasiadamente as suas atribuições e acabou desabando sob seu próprio peso. Em qualquer horizonte razoável, o Estado terá que renunciar a funções de que hoje se ocupa, e terá mesmo que amputar partes de sua arquitetura".

Quinto. Cogita-se de flexibilizar as leis trabalhistas por meio de emenda segundo a qual o negociado prevaleceria sobre o legislado. Para quem acompanha o assunto, não é novidade. A ideia circula há anos e chegou a ser posta na pauta do Congresso meses atrás, mas recolhida diante das críticas. Caso o novo governo consiga levá-la adiante, as empresas poderão negociar com seus trabalhadores regras que passem por cima da Consolidação das Leis do Trabalho (CLT). Talvez para setores superorganizados da classe trabalhadora não houvesse consequências negativas, pois têm força suficiente para barrar a retirada de direitos. No entanto, a vasta maioria dos assalariados perderia a proteção da CLT, o que representaria retrocesso para antes da década de 1940.

Esses cinco itens sintetizam o que está em jogo: retirar direitos conquistados em décadas de luta. Se minha hipótese estiver correta, será necessário juntar todas as forças possíveis para evitar que isso aconteça, formando uma maioria social capaz de bloquear tais iniciativas. Porém, para que essa corrente seja efetiva, terá de conseguir apoio expressivo em um Congresso visivelmente inclinado a posições conservadoras, como se viu no afastamento da presidente Dilma Rousseff.

Por isso, a batalha será árdua e exigirá alto grau de abertura, no sentido de constituir frente ampla. A construção dela vai desafiar a capacidade política da esquerda. É natural que a esquerda esteja interessada em fazer o justo balanço da experiência lulista, portanto gastarei umas linhas com o assunto, o qual ainda vai requerer extensa reflexão. O lulismo acertou numa série de coisas: ao avançar no emprego, na renda e no Bolsa Família, entendido como um patamar mínimo (e tendente a ser universalizado), para aquém do qual o Estado não deixaria nenhum brasileiro ficar. Contudo, houve um erro

154 | Por que gritamos golpe?

importante: o de não ter apresentado, quando havia maioria para tanto, a chamada Consolidação das Leis Sociais (CLS). Se a CLS tivesse passado, hoje a situação seria mais difícil para as forças conservadoras regressistas.

O lulismo garantiu pleno emprego e expressivo aumento da renda – e aqui é preciso lembrar a valorização real do salário mínimo, o principal elemento de distribuição de renda no Brasil –, dando um piso de seguridade social no país, além de medidas menos estruturais mas relevantes, como o programa Farmácia Popular, que garante medicamentos de consumo popular a preço muito baixo, ou o Programa Universidade para Todos (ProUni), em aliança com o ensino privado, o que desgosta os que, como eu, prefeririam universalizar o ensino público e gratuito, mas que facultou o acesso de milhões de estudantes de baixa renda ao ensino universitário. Todas elas poderiam ter sido incorporadas à CLS. Na ausência da CLS, a transformação de bons programas em direitos não ocorreu. É preciso assinalar as contradições do lulismo, sem deixar de reconhecer os avanços promovidos.

Mas a realização do necessário ajuste de contas não pode nos impedir de olhar imediatamente para o futuro. A classe trabalhadora entra dividida no período defensivo. Primeiro porque as forças sindicais racharam na luta contra o impeachment, e um importante setor do sindicalismo apoia o governo interino, resultado do golpe parlamentar. Embora essa ala afirme não endossar propostas como a idade mínima de aposentadoria, faz elogios ao plano de contenção do gasto público. Será necessário, em primeiro lugar, reconstruir a unidade do trabalho para ter chance de barrar as propostas regressivas que listei anteriormente. Tarefa difícil.

Outra questão é que o subproletariado e a nova classe trabalhadora, que surgiu com a expansão do emprego, sobretudo entre os jovens de baixa renda cuja escolaridade cresceu nos últimos treze anos, não foram politizados durante o processo. Isso foi o resultado das características desmobilizadoras e despolitizantes do lulismo. Há setores que se autopolitizaram, por exemplo, os estudantes secundaristas, que desde 2015 estão fazendo um movimento importante no Brasil. Mas eles não correspondem ao conjunto dos novos trabalhadores, entre os quais ideias de meritocracia e redução do Estado, paradoxalmente, cresceram.

Comparativamente, a burguesia se unificou e se politizou mais do que a classe trabalhadora na crise do lulismo. A partir de 2013, o capital cerrou fileiras em torno de uma plataforma de forte impregnação neoliberal. Se não houver reunificação e politização da classe trabalhadora e das camadas populares em geral, a batalha que se aproxima será perdida. Por outro lado, se o retrocesso for bloqueado, talvez antes cedo do que tarde seja possível retomar a perspectiva de novas conquistas, a qual foi bloqueada em dezembro de 2014, quando Dilma cometeu o equívoco fatal de entregar a economia para o adversário.

Já que mencionei a escolha de 2014, julgo pertinente registrar que antes Dilma tentou encontrar uma saída para continuar avançando dentro da conjuntura econômica internacional negativa que se abriu em 2011. Como se sabe, o lulismo foi fruto de uma situação particularmente favorável que se esgotou definitivamente em 2011, tendo começado a mudar em 2008. A presidente buscou, então, uma aliança com a burguesia industrial para continuar a diminuição da desigualdade, alavancando a reindustrialização do país. A tentativa fracassou porque a burguesia industrial se mostrou desinteressada de um projeto de soberania nacional que implicasse confronto mais sério com outras frações do capital, inclusive estrangeiro. Num projeto de longo prazo de transformação do Brasil, a lição que resta é que será necessário contar apenas com as forças populares. Serão elas, sozinhas, capazes de produzir a transformação necessária? Este é um significativo ponto de interrogação para o futuro.

O lulismo não terminou, mas está sofrendo uma enorme derrota. Nela, o papel da operação Lava Jato foi decisivo. Em função disso, o lulismo e o conjunto da esquerda (porque, de algum modo, todos estão associados) estão obrigados a prestar contas quanto ao problema da corrupção. Compreende-se perfeitamente que alguns setores de esquerda não queiram se vincular ao lulismo. Na prática, porém, estão ligados, uma vez que o grosso da população não os distingue. Então, é preciso dar explicações sobre o que aconteceu. A Lava Jato pode ter sido seletiva e tendenciosa, o que deve ser denunciado; no entanto, levantou uma quantidade assustadora de indícios a respeito de desvios fabulosos.

Não se pode asseverar que todos os indícios sejam fatos, porque tudo ainda está em discussão, mas as denúncias e as acusações precisam ser respondidas imediatamente. Existe uma opinião pública no Brasil e ela merece ser esclarecida, para não falar do conjunto da sociedade, a respeito das revelações que explodem desde março de 2014. A questão da corrupção não é de esquerda, centro ou direita. Em tese, todas as correntes ideológicas podem ser republicanas. Não tenho confiança no republicanismo da direita brasileira, mas isso não nos permite abrir mão de defender que a esquerda precisa ser republicana. Ao contrário, para a esquerda, recuperar o moral será um dos capítulos decisivos na rearticulação do próximo período.

156 | Por que gritamos golpe?

Outro ponto diz respeito ao caráter partidário da frente necessária. Enfrentar o problema das eleições que virão pela frente, tanto das municipais quanto das parlamentares e a presidencial, é inescapável. O caminho, como sempre, está em combinar a luta social à luta institucional. Não se deve abrir mão de qualquer uma das duas vertentes. É improdutivo, ainda que reconheça a legitimidade do impulso, recusar as instituições, que estão fortemente desgastadas. As transformações terão de ser realizadas também por meio delas, salvando-as e fortalecendo-as. Tal orientação, faz parte do compromisso maior da esquerda com a democracia. O caminho completamente extrainstitucional vai fracassar, embora o caminho exclusivamente institucional tenha mostrado seus limites.

Em 2015, tentou-se formar uma frente única de esquerda e não deu certo. O esforço resultou em duas frentes, a Frente Brasil Popular e a Frente Povo Sem Medo. Num certo sentido, não foi grave, porque as duas têm conversado, há pontes entre elas, o que representa a viabilidade de unidade social. Mas no que se refere à unidade eleitoral, a divisão sugere que, no fundo, PT, PCdoB e PSOL não conseguiram se juntar. Sem estabelecer essa base, à qual se deveriam agregar diversos outros partidos, e quem sabe movimentos sociais (em um formato ainda a ser inventado) haverá visível fragilidade na esfera decisória. Para barrar os retrocessos postos acima, o sectarismo precisa ser considerado pecado mortal.

A frente ampla tem de ser unificada em torno da questão da democracia, isto é, reunir todos aqueles que são a favor da democracia. De todos os aspectos da situação defensiva em curso, um dos pouco positivos é que a bandeira da legalidade ficou com a esquerda. Quem praticou a ilegalidade foi a direita e os setores de centro que a ela se associaram – centro o qual, aliás, precisa ser deslocado em direção às posições de defesa dos direitos conquistados. Não conseguiremos a maioria de que precisamos sem a adesão, também, de setores de centro.

Encerro lembrando que este quadro não é só brasileiro. Fiquei muito impressionado com entrevista recente do ex-ministro das finanças da Grécia, Yanis Varoufakis, em que defende, diante da ascensão dos ultranacionalistas, da extrema-direita e dos fascistas na Europa e no mundo, estar na hora de toda a esquerda internacional se unir em torno da bandeira democrática para barrar a ascensão de movimentos nitidamente anticivilizatórios. Espero que, no Brasil, tenhamos inteligência e energia para fazê-lo.

A ilegitimidade do governo Temer
Jandira Feghali

Parece filme de comédia, tipo pastelão, mas é um terror da pior espécie ao que assistimos hoje no país. A chegada do governo interino do vice-presidente Michel Temer é uma afronta a todas as conquistas democráticas feitas nos últimos treze anos. Acabaram com tudo em poucos dias, varrendo direitos e protagonismos sociais para debaixo do já altamente imundo tapete deles.

· A entrada de Temer na presidência como um "golpe branco" nunca foi tão bem revelada quanto após o vazamento de gravações do diálogo entre os senadores peemedebistas Romero Jucá, Renan Calheiros e José Sarney com o ex-presidente da Transpetro, Sergio Machado – ex-líder do PSDB e atual membro do PMDB e que, por isso mesmo, conhece muito bem as entranhas do ninho. Ficou óbvio para a sociedade brasileira e para o mundo que a derrubada da presidente Dilma Rousseff foi uma tentativa de abafar a operação Lava Jato e interromper as investigações em curso.

Conversas nada republicanas como essas sinalizam que os golpistas usurparam violentamente o governo e deram de ombros para o povo. Achincalharam nossa história e patrocinaram uma ruptura democrática jamais vista em mais de três décadas. E o pacote de maldades, costuradas de forma ilegítima, será entregue à nação sem diálogo algum. Um absurdo sem tamanho.

158 | Por que gritamos golpe?

Os diálogos da alta cúpula golpista revelam também a misteriosa face do presidente tucano, o senador Aécio Neves. O que deixaria esse outro golpista tão assustado em relação ao senador Delcídio do Amaral? E que tipo de esquema estaria por trás de Aécio, afirmado com tanta veemência por Machado? A essas perguntas, somente a Procuradoria Geral da República (PGR) pode – e deve – responder.

Como relator do caso Aécio, o ministro do Supremo Tribunal Federal Gilmar Mendes suspendeu as investigações, tendendo a abafar o caso do candidato derrotado em 2014. A cumplicidade entre o magistrado e a turma do retrocesso é sem igual.

Tem sido apurado na mídia alternativa que o próprio presidente interino, Michel Temer, teria sido alvo de gravação por Machado. As gravações revelariam verdades inconfessáveis do golpista e poderiam pôr seus planos por água abaixo.

Há um conteúdo que deve ser levado em conta: Dilma é uma mulher honesta e, com ela na presidência, não haveria interrupção das investigações da operação Lava Jato. Isso fica claro em conversa gravada por Renan e Machado.

Cabe a nós, democratas e progressistas, exigir a suspensão do afastamento de Dilma. Não há nenhum tipo de legitimidade do governo em curso e não haverá trégua se ele permanecer com tantas provas do golpe à vista.

É com imenso orgulho que vejo os movimentos de ocupação tomando os espaços públicos referentes à Cultura, como resistência ao ato da extinção do MinC. Apesar do retorno da pasta com *status* de ministério, o simbólico de atraso ainda permanece. Não há possibilidade de avanço algum num mar de retrocessos.

Pés firmes nos asfaltos das ruas para continuar a luta contra essa imoralidade que tem se mostrado o governo Temer. Uma reunião de pessoas sob suspeição tentando fatiar o Brasil aos interesses estrangeiros, dos rentistas e do capital privado, e na perspectiva já anunciada de supressão de direitos e programas sociais. É um momento delicado de nossa trajetória, mas não recuaremos um milímetro sequer. É como ensinam os movimentos sociais da Cultura: "Ocupar e RESISTIR!".

Uma sociedade polarizada?
Pablo Ortellado, Esther Solano e Márcio Moretto

Uma das consequências mais dramáticas do processo de impeachment que o Brasil está passando é a binarização social em dois supostos bandos confrontados, não de adversários e, sim, de inimigos. Nesse cenário é muito difícil estabelecer as bases de um debate que nos possibilite avançar para além da infantilização e do empobrecimento político. Pensamos que a academia deve ajudar a sair dessa dialética do inimigo, autoritária, que simplifica os fatos, reproduz estigmas falsos, ataca desqualificando e insultando e não confrontando ideias, silencia e não contribui para qualificar um debate tão urgente e necessário se queremos que a democracia brasileira se fortaleça. A academia deve construir a crítica reflexiva sempre, sobretudo diante de processos ilegítimos escondidos por trás de certos mantras, como "a luta contra a corrupção". Crítica com conteúdo que enfrente as tendências antidemocráticas.

Nesse sentido, apresentamos nossa última pesquisa para explicar que a polarização "coxinhas/petralhas" que está sendo colocada como divisor social, na prática não corresponde exatamente à situação real na qual se encontra a sociedade brasileira, que é muito mais complexa e não responde a simplificações.

160 | Por que gritamos golpe?

Durante um ano temos pesquisado os grupos pró-impeachment (manifestações de 12 de abril e 16 de agosto de 2015) e as anti-impeachment (manifestação de 31 de março de 2016) em São Paulo, com a ideia de entender melhor esses grupos e romper alguns estereótipos.

A percepção generalizada era que a insatisfação dos "verde-amarelos" era só com o petismo. Porém, um dos elementos que mais nos surpreendeu é que os manifestantes que pediam a saída de Dilma Rousseff, embora carreguem um conteúdo fortemente antipetista, têm uma desconfiança muito alta com relação a outros partidos e figuras políticas, incluindo aqueles nos quais votaram. Por exemplo, embora sejam, em grande maioria, votantes do PSDB, só 11% confia muito no partido e apenas 22,6% confia muito em Aécio Neves (candidato no qual votaram nas eleições de 2014). Além disso, apenas 1,4% afirma confiar muito no PMDB (revelando descrédito total no partido que assumiria a Presidência como consequência do impeachment que pediam).

Paralelamente, nas manifestações contra o impeachment, um dado que chamou a atenção e que também desafia o senso comum foi a caracterização socioeconômica dos presentes, muito parecida com a de seus adversários políticos e com menos presença de jovens e de moradores da periferia que o esperado. Na manifestação de 31 de março, 77,5 dos entrevistados tinham formação universitária (77% dos pró-impeachment) e 44,4% tinham idade superior a 40 anos (53,9% dos pró-impeachment). Portanto, ambos os grupos apresentam nível de educação formal muito superior à média nacional e baixa presença de jovens. Sobre a renda familiar, na manifestação do dia 16 de agosto a maior concentração estava na faixa de R$ 7.880 a R$ 15.760, com 28,9% dos entrevistados. Na do dia 31 de março, a maior concentração situava-se entre R$ 4.400 a R$ 8.800, com 31,9%. As manifestações na Paulista ainda são economicamente mais excludentes que os protestos contra o impeachment, mas as contrárias tampouco representam a distribuição de renda nacional[1].

Esses dados nos levaram a refletir sobre quem está presente no debate e na mobilização sobre o impeachment. Setores jovens e da periferia (ambos tão numerosos) estão sub-representados em ambos os tipos de manifestação.

No mês de maio, a cidade de São Paulo foi palco de duas mobilizações que pediam a ampliação de direitos: no dia 14 de maio, ocorreu a marcha que pedia a legalização da maconha e, no dia 19, a passeata dos secundaristas,

---

[1] Todos esses dados estão disponíveis em: <www.gpopai.usp.br/pesquisa>.

Pablo Ortellado, Esther Solano e Márcio Moretto | 161

que se opunha aos cortes para a educação do governo do Estado de São Paulo. As duas mobilizações mostraram um perfil semelhante entre si e muito diferente daquelas que apoiavam ou eram contrárias ao impeachment. Ambas foram compostas de manifestantes bem mais jovens (muitos deles adolescentes) e com renda familiar mais baixa. Como os pró-impeachment, desconfiam de todos os partidos políticos e acreditam que o PT é corrupto; como os anti-impeachment desconfiam bastante dos meios de comunicação e consideram importantes os ganhos sociais da era Lula-Dilma. Além disso, defendem com clareza a independência dos movimentos sociais em relação aos partidos políticos.

A pesquisa foi conduzida durante a Marcha da Maconha, que partiu da Avenida Paulista, e durante a passeata dos secundaristas, que partiu da mesma avenida. Na primeira manifestação, foram aplicados 557 questionários, e a margem de erro é de 4,2%; na segunda, foram aplicados 509 questionários, com margem de erro de 4,3%.

Nos questionários, reapresentamos questões que já havíamos aplicado a manifestantes anti-Dilma e manifestantes anti-impeachment. Nosso objetivo era entender de que maneira o perfil dos manifestantes desses dois movimentos (secundaristas e ativistas a favor da legalização da maconha) divergia ou convergia com os dos dois grupos que já havíamos estudado.

Caracterização socioeconômica

Os dois grupos estudados apresentaram um perfil semelhante entre si e distinto dos grupos anti-impeachment e anti-Dilma. A idade média tanto da Marcha da Maconha quanto dos secundaristas é de pouco mais de 20 anos, sendo que 84,7% e 89,9% dos manifestantes têm menos de 30 anos. Além disso, 36,4 e 33,6% são negros e pardos, e 41,3% e 46% têm renda familiar de até três salários mínimos. Como parâmetro de comparação, o perfil do manifestante do ato anti-impeachment de 31 de março é de 31,3% de manifestantes com até 30 anos, 34,9% de negros e pardos e 23,8% com renda familiar de até três salários mínimos.

Confiança nas instituições

Tanto os manifestantes que defendem a legalização da maconha como os estudantes secundaristas apresentam descrença generalizada nas instituições, mas, em relação aos outros dois grupos estudados (anti-impeachment e anti-Dilma) a intensidade dessa descrença apresenta perfil misto. Com relação a partidos políticos, 70,6% e 58,7% declaram ter desconfiança e 28,4% e 39,7%

162 | Por que gritamos golpe?

declaram ter pouca confiança – um perfil parecido com o dos manifestantes anti-Dilma que estudamos em 15 de abril de 2015 (73,2% de desconfiança e 25,2% de pouca confiança). Já com relação à imprensa, 62,8% e 68,6% declaram ter desconfiança e 35,9% e 30,6% declaram ter pouca confiança – perfil semelhante ao dos manifestantes anti-impeachment de 31 de março (85,4% de desconfiança e 13,6% de pouca confiança). Em resumo, enquanto esses movimentos de jovens têm desconfiança intensa e generalizada tanto em partidos como na imprensa, os anti-impeachment têm menos desconfiança dos partidos e os anti-Dilma, menos desconfiança da imprensa.

Comportamento eleitoral e participação na crise política

Por causa da pouca idade dos componentes dos dois grupos, uma parcela significativa não chegou a votar nas últimas eleições presidenciais. Entre os que votaram, contudo, a maioria optou por candidatos de esquerda: Dilma Rousseff (29,2% na Marcha da Maconha e 30,3% entre os secundaristas) e Luciana Genro (20,7% e 31,8%), com expressivo número de votos nulos em terceiro lugar (13,6% e 11,8%). Com relação à participação nas marchas pró e anti-impeachment, houve diferença notável nos dois grupos. Enquanto os manifestantes da Marcha da Maconha se distribuíram entre os que foram à marcha pró-impeachment (14,2%), os que foram às marchas anti-impeachment (27,8%) e os que foram à manifestação pedindo o "Fora Todos" (13,3%), os secundaristas tiveram um perfil mais contrário ao impeachment, com apenas 5,1% participando de manifestação pró-impeachment, consideráveis 45,8% participando de atos anti-impeachment e 13,9% pedindo o "Fora Todos".

Embora os secundaristas tenham participado em grande número de atos anti-impeachment, eles não parecem ter se engajado no debate polarizado que opunha, de um lado, a tese de que o PT era essencialmente corrupto e, de outro, que ele tinha trazido grandes ganhos sociais para o país. Tanto os participantes da Marcha da Maconha como os secundaristas mostraram grande adesão às duas afirmações: 89,4% e 87,2% concordaram totalmente ou em parte que "o PT é um partido corrupto", mas, ao mesmo tempo, 90,2% e 96,4% concordaram totalmente ou em parte que "conquistas do governo do PT, como os programas Bolsa Família, o Fies e o Minha Casa Minha Vida melhoraram a vida dos brasileiros".

Autonomia dos movimentos

Finalmente, investigamos em que medida participantes da Marcha da Maconha e da manifestação dos secundaristas concordavam com teses geralmente associadas ao autonomismo: 41,1% e 64% não concordaram, e 33,2% e 25,9% concordaram apenas em parte que "não há grandes diferenças entre governos de esquerda e governos de direita". No entanto, 68% e 62,3% concordaram totalmente que "movimentos sociais deveriam ser independentes de partidos políticos".

Essa última afirmação corrobora uma análise de rede que realizamos com pessoas que confirmaram participação em manifestações em São Paulo no Facebook no segundo semestre de 2015 e no primeiro semestre de 2016 e que mostram que há dois *clusters* de mobilização razoavelmente separados, mas também interligados e sobrepostos: um *cluster* (cinza-escuro) em torno dos atos em defesa do governo Dilma e contrários ao "golpe", e outro (cinza-claro) em torno dos movimentos autônomos. Bem separados, estão a Parada LGBT (hachurado) e a manifestação anti-impeachment (branco). O tamanho dos círculos é proporcional ao número de confirmados e a largura dos traços e a distância mostram o número de pessoas que está simultaneamente num e noutro.

GRÁFICO 1

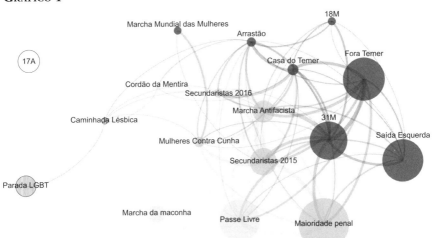

Fonte: Elaborado por Márcio Moretto.

Conclusões

A democracia brasileira está num momento de fragilidade. Baixa confiança nas instituições, nos partidos políticos, na imprensa, artimanhas de poder ilegítimas, redes de corrupção que corroem o sistema de representatividade

164 | Por que gritamos golpe?

e situação de anomalia política permanente fazem que comportamentos e tendências autoritárias e fortemente antidemocráticas encontrem espaço fértil para se desenvolver. A saída para este momento dramático nunca pode ser menos democracia, e sim a luta por uma democracia cada vez mais consolidada, que deve ser construída entre todos. Devemos recuperar nosso papel de cidadania ativa, crítica, participativa e exigente, porque não teremos uma verdadeira democracia até que cada um de nós se comprometa na sua construção.

É golpe e estamos em luta!
Lira Alli

Golpes são a parte mais violenta de *lutas*, que são muito maiores do que eles. Construir um olhar com algum distanciamento sobre coisas tão vivas e presentes é um bom desafio. Compartilho algumas elaborações sobre as lutas da juventude que se explicitaram no Brasil nos últimos anos e sobre como elas estão se relacionando com o golpe em curso no país. Tais lutas, ao mesmo tempo que se alimentam de questões que explodem no cotidiano, estão inseridas num processo global de crise profunda e prolongada, de crise de destino.

Foi em 2012 que a juventude escrachou pela primeira vez em nosso país os torturadores da ditadura, cutucando com vara curta grandes símbolos do fascismo e do conservadorismo. E honrando os que deram a vida na luta pela democracia no Brasil. Uma atitude contundentemente poética de uma juventude que já sonhava levantes. Saber que o passado constrói o presente é saber também que a história é maior do que nossas vidas e que é preciso pensar em possibilidades coletivas de futuro. Colonização, escravidão, ditadura: a história do nosso país é feita da violência produzida pelos desmandos de uma elite que nunca se preocupou com o povo "daqui", só com o lucro "de lá". Ainda que seja indigna, precisamos conhecer nossa história e ser donos de nossa própria memória: só assim teremos as ferramentas para construir transformações. Os

166 | Por que gritamos golpe?

duros legados da ditadura têm sido enfrentados e contestados pela juventude que se levanta contra a violência policial, pelas mulheres no enfrentamento ao machismo e em tantas outras lutas recentes de nosso povo.

Nossa jovem democracia ainda não chegou nem nos trinta. Eu, que tenho a mesma idade da Constituição, entendo bem essa crise de amadurecer. Desses quase trinta anos, a primeira quinzena foi de neoliberalismo avassalador e quase nem é lembrada pelos mais jovens. Da segunda metade já temos mais lembranças, dos fatos e dos personagens. Anos de intensa contradição. Por um lado, os treze anos de governos petistas trouxeram um montão de decepções por parte daqueles que colocaram sonhos e esperanças na estrela vermelha. Governos feitos de concessões, acordões, financiamentos empresariais e trocas de interesses. Por outro lado, esse foi o melhor governo que já houve nessas terras desde as caravelas: tirando milhões da fome e da miséria, ampliando o acesso à educação, dignificando o trabalho e diminuindo as desigualdades.

Como consequência disso, o povo brasileiro ganhou autoestima e condições de levantar a cabeça. Começou a ter orgulho de ser quem é. E isso passou a ser visto também nos cabelos, nas roupas e nos corpos das pessoas. Novas formas de fazer política se espalharam pela cidade, em saraus e carnavais, ocupando escolas, prédios e ruas. Só um povo que acredita em si mesmo tem força e vontade de transformar a realidade. E hoje acreditamos na nossa força.

Isso se tornou possível como resultado de um modelo de crescimento econômico que possibilitou a distribuição de renda sem afetar os lucros das grandes empresas. Os *de baixo* ganharam, os *de cima* ganharam muito – e a classe média ficou ressentida por se sentir estacionada no meio do caminho. Acontece que crescimento econômico não dura para sempre. Quando ele diminuiu, escolhas começaram a ser feitas. Escolhas em favor do poder econômico e do poder colonizador (primeiro, por dentro do governo e, depois, na articulação e na operacionalização do golpe). Se antes os interesses estavam confusos e misturados dentro e fora do governo, o processo do golpe foi deixando cada vez mais explícito quem são e o que querem esses poderes e seus representantes na política. É só nos lembrarmos do show de horrores da votação no Congresso sobre o impeachment no dia 17 de abril.

A política é a forma que escolhemos para nos organizar coletivamente. Em linhas muito gerais, acredito que existem dois grandes vetores para onde podem apontar nossas práticas (coletivas e individuais, no público e no privado). O primeiro, que aponta para a direita, é o vetor que considera o lucro e o sucesso individual como mais importante do que a vida. É o vetor que privatiza riquezas e direitos, que constrói fronteiras e muros, que encarcera e mata, que mercantiliza vidas e corpos, que não se preocupa com a natureza e cria um ciclo vicioso de doença e remédio, que acelera a destruição da vida. O segundo vetor, para a esquerda, é o vetor que cuida do coletivo e da humanidade, cuida da natureza sabendo que somos parte dela, que procura a justiça, a igualdade e a prática de valores solidários e emancipadores, cultivando e multiplicando saberes e conhecimentos ancestrais de todos os cantos do mundo, e celebra a diversidade em unidade.

O lugar de debate sobre os princípios que guiam a vida coletiva deveria ser a política. Mas não tem sido. As crises democráticas que têm atingido diversas partes do planeta têm desvelado o fosso que existe entre o que é povo e o que são os supostos representantes políticos que, em sua ampla maioria, apenas representam os interesses das grandes empresas financiadoras, inevitavelmente orientados com força pelo vetor da direita. Nesses caminhos, os supostos interesses democráticos do Ocidente estão muito mais comprometidos com o controle do petróleo do que com qualquer tipo de libertação popular.

Esse descolamento entre a política representativa e o debate político que precisa ser feito sobre os rumos do planeta é também a distância que existe entre os que representam e os que são representados. Os *de baixo*, mesmo que votem nos representantes eleitos, não se sentem representados por eles e não enxergam as questões de suas vidas sendo debatidas nos palácios do poder. A democracia ocidental revela-se assim uma farsa, porque é refém do poder econômico e midiático.

Desde 2013 vivemos uma crise política no Brasil. Desde então a juventude tem se colocado como protagonista importante em lutas por transformação. Vivemos nesses últimos anos momentos que entrarão para os livros de história. Mas a cada passo que as conquistas avançam, as resistências deixam muito claro que nossa democracia encontrou um limite. Tão querida e tão insuficiente, nossa democracia, formal e deteriorada, não sabe ouvir o que diz o povo e a rua.

O golpe no Brasil, ao quebrar as travas da institucionalidade carcomida, abre oportunidades e flancos para as lutas e os sonhos. A ameaça de retrocessos em todas as esferas – na cultura, na educação e nos direitos dos trabalhadores – começa a ter um efeito catalizador, e as manifestações se ampliam e se tornam cada vez mais vivas e criativas.

O golpe, que se explicita a cada medida do governo provisório, desvela os interesses articulados entre grande imprensa, Judiciário e Legislativo. Deixa ainda mais evidente que não existe compromisso com os votos, com o que quer o povo e nem com a Constituição: o compromisso é com os interesses

168 | Por que gritamos golpe?

do capital financeiro internacional, com os colonizadores e com os benefícios pessoais.

Assim se abre espaço para a luta política explícita: os times estão em campo, mas as antigas regras do jogo foram rompidas e não é mais possível voltar atrás, para aquelas regras que já não faziam sentido. É hora de reinventar o jogo da política no Brasil.

Uma constituinte do sistema político é a melhor forma de construir essa reinvenção. Essa proposta, que vem sendo construída pelos movimentos sociais desde 2013, foi referendada por um plebiscito popular com mais de 8 milhões de votos em 2014 e só se fortalece com a crise que estamos vivendo. Só pessoas eleitas diretamente com o objetivo de reconstruir o sistema político, sem rabo preso aos acordos que atualmente regem o jogo, terão a capacidade de reescrever as regras para instaurar um ambiente mais democrático em nosso país.

Também aqui do lado da esquerda é necessário avaliar os caminhos que percorremos e fazer autocríticas, porque é necessário melhorar. Onde acertamos e onde erramos? Como não repetir os erros? Como participar da democracia institucional sem ser engolido por ela e perder a utopia? Como não abandonar as raízes e o trabalho de base? Como não burocratizar? Como não encaretar? Como compartilhar poder?

Ao mesmo tempo, reconhecer os avanços da nossa experiência democrática e saber que essa nova juventude só existe porque é filha da democracia, é filha de muita luta. Nem melhor nem pior que outras gerações, mas certamente consequência do que fizeram as anteriores. Menos uma promessa de um futuro que virá, a juventude tem demonstrado a necessidade de construir a transformação agora. Talvez até por desatenção, uma geração que não tem noção das liberdades democráticas as quais tem acesso ousa sonhar com mais democracia e fazer do sonho prática. As utopias voltam à cena, quando parecia que todos os jogadores da política estavam acomodados com o possível.

A juventude se organiza assumindo e celebrando a diversidade. Comprometida com o desafio de desconstruir privilégios. Com uma linguagem diferente, menos presa a academicismos e mais ligada à rua, à vida. Com mais cultura e arte, desencaretando as relações. Questionando hierarquias e se desafiando a construir processos mais coletivos. Organizando-se por fora da institucionalidade, das pessoas jurídicas, das gravatas, de espaços travados por regras e burocracias.

A maior parte da juventude quer transformação, liberdade e respeito. E tais valores são também princípios para essa geração. Uma nova geração que não se cala e que não baixa a cabeça e que seguirá – independentemente dos caminhos que tomarem a luta política – lutando por democracia, por respeito e igualdade para mulheres, negros, LGBTs, pelo direito de pensar e se expressar com plena liberdade.

Não tenho bola de cristal para prever o futuro. Mas tenho certeza de que, por mais retrocessos que os golpistas consigam impor nesse processo de golpe, o avanço de nossa sociedade é uma questão de tempo. A nova geração que está chegando na política é de muita luta e cedo ou tarde vai ocupar também os gabinetes e palácios do poder, transformando-os em espaços mais coletivos e democráticos.

Sobre os autores

André Singer é professor associado do Departamento de Ciência Política da Faculdade de Filosofia e Ciências Humanas da Universidade de São Paulo.

Armando Boito Jr. é professor titular de ciência política da Unicamp e editor da revista *Crítica Marxista*. Pesquisador da política brasileira, tem diversos artigos e livros a respeito publicados.

Boaventura de Sousa Santos é sociólogo e professor aposentado da Faculdade de Economia da Universidade de Coimbra. Atualmente, coordena o projeto Alice – Espelhos Estranhos, Lições Imprevistas, que desenvolve novos paradigmas teóricos e políticos de transformação e emancipação social.

Ciro Gomes é advogado e professor universitário. Foi deputado estadual e federal pelo Ceará, prefeito de Fortaleza, governador do Ceará, Ministro da Fazenda (1994-1995) e Ministro da Integração Nacional (2003-2006). Desde 2015 trabalha na Companhia Siderúrgica Nacional (CSN).

Djamila Ribeiro é mestre em filosofia política pela Universidade Federal de São Paulo e colunista do site da *CartaCapital* e do *Blog da Boitempo*. Atualmente, é secretária-adjunta da Secretaria Municipal de Direitos Humanos e Cidadania de São Paulo.

172 | Por que gritamos golpe?

Eduardo Fagnani é professor do Instituto de Economia da Unicamp, pesquisador do Centro de Estudos Sindicais e do Trabalho (Cesit) da mesma instituição e coordenador da rede Plataforma Política Social – Caminhos para o Desenvolvimento.

Esther Solano Gallego é doutora em ciências sociais pela Universidad Complutense, de Madri, onde atua como professora do mestrado interuniversitário internacional de estudos contemporâneos da América Latina, e professora de relações internacionais da Universidade Federal de São Paulo.

Gilberto Maringoni é professor de relações internacionais da Universidade Federal do ABC e autor, entre outros, de *A Venezuela que se inventa: poder, petróleo e intriga nos tempos de Chávez* (Fundação Perseu Abramo, 2004).

Graça Costa é servidora pública municipal, secretária de relações de trabalho da CUT e vice-presidente do Departamento Intersindical de Assessoria Parlamentar (Diap).

Guilherme Boulos é dirigente do Movimento dos Trabalhadores Sem Teto (MTST) e militante da Frente Povo Sem Medo. Formado em filosofia, é professor de psicanálise e autor dos livros *Por que ocupamos?* (Autonomia Literária, 2014) e *De que lado você está?* (Boitempo, 2015).

Ivana Jinkings é editora da Boitempo e da revista *Margem Esquerda*. Coordenou, com Emir Sader, Carlos Eduardo Martins e Rodrigo Nobile, a *Latinoamericana: enciclopédia contemporânea da América Latina e do Caribe* (2006) e organizou, também pela Boitempo, *As armas da crítica* (2012), entre outros livros.

Jandira Feghali é médica especializada em cardiopediatria. Foi líder do PCdoB na Câmara dos Deputados (2014-2015), presidente da Comissão de Cultura da Câmara e relatora da Lei Maria da Penha. É deputada federal pelo PCdoB do Rio de Janeiro.

Juca Ferreira é sociólogo. Em 2008-2010, foi ministro da Cultura no governo Lula, filiando-se ao PT em 2012. Em 2013-2014, foi secretário de Cultura de São Paulo, na gestão Haddad. Com a reeleição de Dilma Rousseff, exerceu seu segundo mandato no MinC, do qual se afastou em 12 de maio de 2016, com a extinção do ministério pelo presidente interino Michel Temer.

Laerte Coutinho é autora de quadrinhos, cartuns e charges. É uma das criadoras da revista *Balão* e da empresa Oboré. Publicou seu trabalho nos maiores periódicos nacionais e participou da redação dos programas *TV Pirata*, *TV Colosso* e *Sai de Baixo*, da rede Globo. Apresentou o programa *Transando com Laerte*, no Canal Brasil.

Sobre os autores | 173

Leda Maria Paulani é economista e professora titular da Faculdade de Economia, Administração e Contabilidade da USP, pesquisadora do CNPq e autora de *Brasil Delivery: servidão financeira e estado de emergência econômico* (Boitempo, 2008).

Lira Alli é formada em artes cênicas pela Universidade de São Paulo e militante do Levante Popular da Juventude. É autora do blog <lirapublica.com>.

Luis Felipe Miguel é doutor em ciências sociais pela Unicamp e professor titular do Instituto de Ciência Política da Universidade de Brasília (UnB). É editor da *Revista Brasileira de Ciência Política* e coautor de *Feminismo e política* (Boitempo, 2014).

Luiz Bernardo Pericás é historiador e professor de história contemporânea na FFLCH-USP. Autor do livro *Caio Prado Júnior: uma biografia política* (Boitempo, 2016) e coorganizador de *Intérpretes do Brasil* (Boitempo, 2014).

Luiza Erundina atua desde 1958 na vida pública. Foi prefeita de São Paulo entre 1989 e 1993. Atualmente, é deputada federal pelo PSOL de São Paulo e trabalha na formação de um novo partido, a Raiz Movimento Cidadanista.

Marcelo Semer é juiz de direito em São Paulo e escritor. Membro e ex-presidente da Associação Juízes para a Democracia, é mestre e doutorando em direito penal pela USP, colunista na revista *Justificando* e responsável pelo blog *Sem Juízo*.

Márcio Moretto Ribeiro é doutor em ciência da computação pelo Instituto de Matemática e Estatística da USP, professor de sistemas de informação na Escola de Artes, Ciências e Humanidades da USP e membro do Grupo de Políticas Públicas em Acesso à Informação.

Marilena Chaui é filosofa e professora titular aposentada da FFLCH-USP. Recebeu o título de *doctor honoris causa* da Universidade de Paris VIII e da Universidad Nacional de Córdoba. Seu livro *A nervura do real* foi vencedor dos prêmios Jabuti (CBL), Sérgio Buarque de Holanda (Biblioteca Nacional) e Multicultural Estadão (*O Estado de S. Paulo*).

Marina Amaral é jornalista há 32 anos e atua no jornalismo independente desde 1997. Participou da equipe que criou a revista *Caros Amigos*, onde foi repórter e editora. É cofundadora e codiretora da Agência Pública de Jornalismo Investigativo.

Mauro Lopes é jornalista, membro dos coletivos Jornalistas Livres e Outras Palavras e autor do blog *Caminhopracasa*. Escritor, teólogo bissexto, é especializado em gestão de processos comunicacionais complexos; e poeta.

174 | Por que gritamos golpe?

Michael Löwy é filósofo e sociólogo. Atua como pesquisador no Centre National de la Recherche Scientifique (CNRS), na França, e é autor de *Revoluções* (2009), *A jaula de aço* (2014) e *Revolta e melancolia* (2015), publicados pela Boitempo.

Mídia NINJA (Narrativas Independentes, Jornalismo e Ação) é uma rede descentralizada e colaborativa de comunicadores. Baseia-se nas novas tecnologias para produzir e compartilhar a informação.

Murilo Cleto é historiador, especialista em história cultural e mestre em cultura e sociedade. Atua como professor no Colégio Objetivo e nas Faculdades Integradas de Itararé e é articulista da revista *Fórum*.

Pablo Ortellado é professor do curso de gestão de políticas públicas da EACH-USP e coautor de *Estamos vencendo: resistência global no Brasil* (Conrad, 2005) e *Vinte centavos: a luta contra o aumento* (Veneta, 2013).

Paulo Arantes é filósofo e professor aposentado do Departamento de Filosofia da USP, onde lecionou entre 1968 e 1998. Pela Boitempo, publicou, entre outros, *Extinção* (2007) e *O novo tempo do mundo* (2014), livros da coleção Estado de Sítio, da qual é coordenador.

Renan Quinalha é advogado e ativista de direitos humanos. Graduado e mestre pela Faculdade de Direito da USP, onde é doutorando em relações internacionais. É pesquisador visitante da Brown University e autor de *Justiça de transição: contornos do conceito* (Expressão Popular, 2013).

Roberto Requião é advogado e jornalista. Foi prefeito de Curitiba, três vezes governador do Paraná e exerce hoje seu segundo mandato como senador. Na Casa, preside a Representação Brasileira no Parlasul, é copresidente da Eurolat e vice-presidente do Parlamento Latino-Americano (Parlatino).

Ruy Braga é sociólogo especializado em sociologia do trabalho e atua como professor livre-docente na FFLCH-USP, onde preside a Comissão Geral de Recursos Humanos. É autor de *A política do precariado* (Boitempo) e colunista do *Blog da Boitempo*.

Tamires Gomes Sampaio é graduanda em direito na Universidade Presbiteriana Mackenzie e autora de *Segurança pública e cidadania: o genocídio da juventude negra* (no prelo). É segunda vice-presidente da União Nacional dos Estudantes e faz parte do coletivo PARATOD@S.

Vítor Guimarães é militante do Movimento dos Trabalhadores Sem Teto (MTST) e da Frente Povo Sem Medo no Rio de Janeiro. Formou-se em ciência política e foi assessor da Comissão da Verdade do Rio de Janeiro.

TINTA VERMELHA [✊]

Outros títulos publicados:

Bala perdida
A violência policial no Brasil e os desafios para sua superação

Bernardo Kucinski, Christian Ingo Lenz Dunker, Coronel Íbis Pereira, Fernanda Mena, Guaracy Mingardi, Jean Wyllys, João Alexandre Peschanski, Laura Capriglione, Luiz Eduardo Soares, Maria Lúcia Karam, Maria Rita Kehl, Movimento Independente Mães de Maio, Rafa Campos, Renato Moraes, Stephen Graham, Tales Ab'Sáber e Vera Malaguti Batista
prefácio Marcelo Freixo e Eduardo Suplicy
coedição Carta Maior
ano 2015

Brasil em jogo
O que fica da Copa e das Olimpíadas?

Andrew Jennings, Antonio Lassance, Carlos Vainer, Ermínia Maricato, Jorge Luiz Souto Maior, José Sérgio Leite Lopes, Luis Fernandes, MTST, Nelma Gusmão de Oliveira e Raquel Rolnik
apresentação João Sette Whitaker Ferreira
quarta capa Juca Kfouri e Gilberto Maringoni
coedição Carta Maior
ano 2014

Cidades rebeldes
Passe livre e as manifestações que tomaram as ruas do Brasil

Carlos Vainer, David Harvey, Ermínia Maricato, Felipe Brito, João Alexandre Peschanski, Jorge Luiz Souto Maior, Leonardo Sakamoto, Lincoln Secco, Mauro Luis Iasi, Mike Davis, Movimento Passe Livre, Pedro Rocha de Oliveira, Ruy Braga, Silvia Viana, Slavoj Žižek e Venício A. de Lima
prefácio Raquel Rolnik
quarta capa Paulo Arantes e Roberto Schwarz
imagens Mídia NINJA
coedição Carta Maior
ano 2013

Occupy
Movimentos de protesto que tomaram as ruas

David Harvey, Edson Teles, Emir Sader, Giovanni Alves, Immanuel Wallerstein, João Alexandre Peschanski, Mike Davis, Slavoj Žižek, Tariq Ali e Vladimir Pinheiro Safatle
prefácio Henrique Carneiro
quarta capa Leonardo Sakamoto
coedição Carta Maior
ano 2012

Concluído em junho de 2016, na semana em que o Conselho de Ética da Câmara dos Deputados aprovou o parecer pela cassação do mandato de Eduardo Cunha, este livro foi composto em Adobe Garamond Pro, 11/13,3, e reimpresso em papel Avena 80 g/m² na gráfica Rettec para a Boitempo, em maio de 2017, com tiragem de 6 mil exemplares.